KB101355

늘 푸른 이야기

이 미 라

늘
푸른
이야기

LEE MI RA SPECIAL EDITION
늘 푸른 이야기
1
이미라
학산문화사

너, 공기놀이
할 줄 아니?
이것 봐, 예쁘지?
진주 구슬이야.
…….

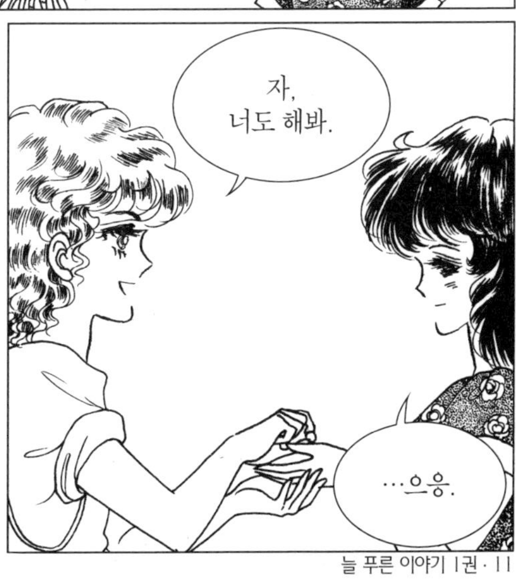
자,
너도 해봐.
…으응.

이걸로 이렇게
하는 거야.

휘ㄱ
하악
와아
나는
이런 걸로는 못해.
…대신…,
덥썩!
이런 돌멩이가
좋아.
휙
휙

에…,
한 손이?
후다닥!
삭
삭
사삭…

휴
싹
너!
너….

……
……
너…
눈이
이 진주랑 닮았다.
정말?
그래.
반짝반짝하는 게
꼭 진주 구슬 같아.

헤에!

생각해보면…
그는 처음부터
다른 분위기를
지니고 있었나 보다.

스쳐지나가는
실바람 같은 아쉬움…,
어둠에 익어가는 하늘,
그 노을의 그림자….

전설처럼…
동화처럼…
그래도 해맑은…,
해맑은 미소….

3월이 와도…
5월이 와도…,
그는 그런….

그런데도
낙엽을 태우는
향연과 같이
코끝이 저린….

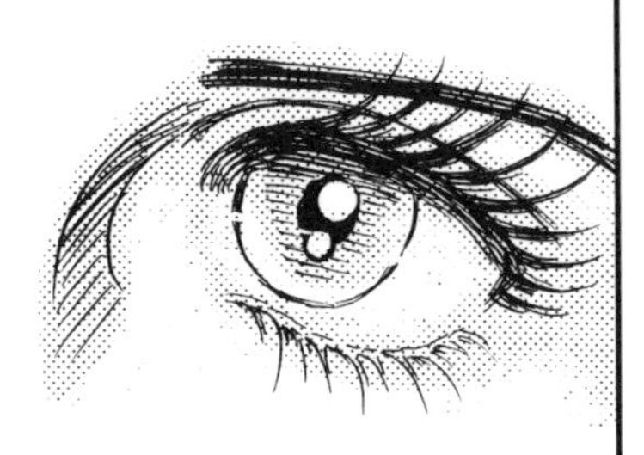

……….
그도 언니의 말처럼
사랑은 잡을 수 없던
그 어린 시절의
나비 같은 거라고
믿었을까?

그런 걸까…?

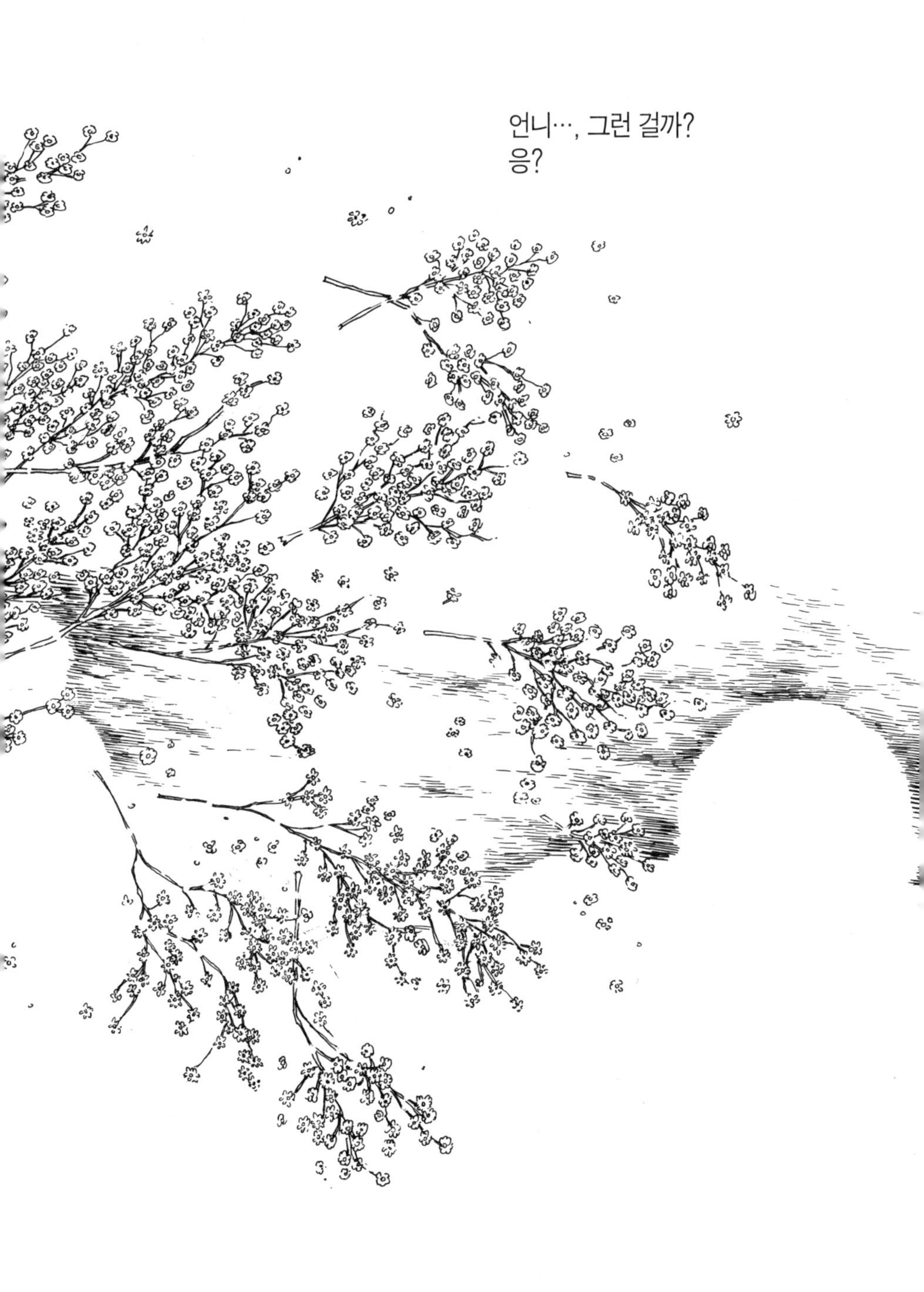
언니…, 그런 걸까?
응?

쏴아
이런, 아침부터
비가 오는군.
푸르매와 슬비는
학교 갔소?
시험 기간이라며
푸르매는 새벽부터
나갔어요.
때르르르
때르르르르!
슬비는?
푸르매가 시계를
맞추어놨으니
괜찮을 거예요.
달그락…
호오~, 그래도
푸르매가 슬비는
무척 위한다니까.

때르르
때르르르르

←흘 깃—

퍽!

드르릉, 드르릉,
쫘아아아

공부 좀 했냐?
별로.
하나 마나.
이번에는
종인이랑 푸르매 중
누가 1등 먹을까?
으아아~~!
하필이면
게슈타포!!
드르륵!
빨리
네 자리로 가.
이번 시간엔
눈알도
못 돌리겠다.

노파심에서
밝혀두건대
내 시력은 2.0이다.
모두들 성심껏
시험에 임해주기
바란다.
푸르매,
국어 공부
많이 했니?
난 국어는 싫어
실은 걱정이야.
아침에 한번
훑어본 것뿐이라서….
흥! 거짓말.
이푸르매, 내가
너의 간교한 책략을
모를 줄 아느냐?
전에도
저런 식으로 말한 뒤
나와 동점으로
95점을 받았지.
학교에선
노는 척하다가
집에서 코피 흘리며
미친 듯이
공부하는 게
틀림없어.
그렇지 않고선
이 천재적 두뇌 소유자인
나와 대등한 점수가
나올 리 없단 말이야.

능구렁이 같은 자식!
그렇게 함으로 해서
머리 좋은 걸
과시하려는
걸 거야!!
빠드득
좋았어, 조종인.
시험에 임하는 결의가
훌륭해.
항상 느끼지만
자네의 학습 태도는
언제나 박진감 있어.
아, 네,
선생님.
저…,
저럴 수가….
이푸르매,
지난번엔 자네가
전교 수석을
차지했었지.
그렇게 놀면서도
성적이 좋은 걸 보면
신기하다니까.
긁적 긁적
하긴…,
IQ도 전교에서
제일 높으니….
중얼중얼….
선생님까지도
저 녀석의
얄팍한 수작에
말려들다니….

좋아!
문제를 빨리 풀어서
내가 저 녀석보다
머리가 얼마나 더
좋은가를 보여주자.
쏴아아!
지각!
지각이다~아!!
푸르매 녀석,
깨워준다고 하고선.
이 나쁜 녀석!
이 천하의,

악당아!!
번쩍
콰
콰
쾅
우와~!
굉장한 번개다.
시험 치는 날이면
늘 이래.
어둡고… 비 오고…
번개 치고….
난 슬퍼져.

순간적으로
슬비 누나의 목소리가
들린 것 같아.
워낙 누나에게
시달려서 그런가?
쏴아아…
굉장한
날씨군.
슬비 누나도 지금쯤
교실에서 열심히
시험 치고 있겠지.
그런데….
아까부터
웬 살기가…?

히익
뭔가,
조종인?
!
…저…,

시험문제를
다 풀었습니다.
나가도 되겠습니까?
와
와아
아니 벌써!
우우!
단,
20분만에….
역시 수재는
다르구나.
괜찮긴 하다만,
자신 있나?
최선을 다했습니다.
나머지는 신에게….
철벅
철벅
아이고~!
바쁜데
이놈의 계단은
왜 있지?

헉
헉
이슬비 학생은
오늘 같은 날
결석….
아닙니다,
선생님!
헉
헉
저도
시험을 치르게
해주십시오!
때
르
르
르
릉
정신차려,
슬비.
이것 좀 마시고.
하아
하아
고마워.

우린 정말 깜짝 놀랐어.
네가 안 오나 하고
걱정했는데.
시험을 치르기 위해
죽음을 무릅쓰고 온
필사의 수험생
같았으니.
말도 마, 얘.
무사히 1교시 치른 건
기적이었어, 정말.

어쩌다 그렇게
늦었어?
그에 대해서
책임을 추궁당할
사람이 있어.

또르륵

또르륵

또르륵

sunhi
또르륵

또르르륵
또르륵
나쁜 녀석.
저 녀석 때문에
하마터면 1교시 시험도
못 치를 뻔했잖아.
아…,
길다면 길고
짧다면 짧은
시험 기간이여.
슬비야─,
이리 좀 나와보렴.
모르는 척~
애!
슬비야─.
으음…
f(x) → x(5-x)
어쩌고 저쩌고…

수박 안 먹을 거니?
우리끼리 다 먹는다—!

부르셨어요,
엄마….
척
언제 나타났지?
…빠르다.
음…
자식교육이…
좀…

내일이면
시험이 끝나지?
예.
아니—,
진작 부르지 않고.
요것밖에 없잖아.

아—.
간에 정착은 커녕
기별도 안 간다.

씨이~.
나만 찌꺼기
먹으라 그러고….
탁
탁
엄마─, 슬비가 더럽게
테이블에 수박 껍질을
쳐대고 있어요!
괜찮아.
어차피
치울 거니까.
자,
탁자 청소할
사람을 뽑자.
그런데 나는
식사 준비 해야 되니까,
나만 빠지자. 응?
안 돼요
어마! 애들아,
너무하는구나.

자아—,
한 치의
부정부패도 없이.
슬금 슬금
가위—! 바위—!
자신
없는데….
탁
어딜 도망가려고?
가장 많이
어질러놓은 사람이
누군데.
보!
푸르매
아빠
슬비
엄마

푸르매다아아─!
엄마,
슬비는 반칙이에요!
손가락 3개는
보에 가깝다고요!
슬비가 당연히
반칙패라고요!
저 녀석이
언제 그걸 봤담?
뭐라고?!
모두 주먹을 냈으면
너는 보자기라고
우길 작정이었지?!
시끄러워!
손가락 3개는
가위에 가까워!

이 자식이
건방지게 누나한테
반말이야!
흥…
반말 좋아 하시네
누나도 누나다워야
누나지….
이 자식이…,
안 그래도 오늘 일 땜에
화나죽겠는데!
퍼억
쿵
어머나!
오늘은 두 바퀴뿐이야.
푸르매가 참아.

말리지 마세요.
지금부터 제가 하는 일엔
합당한 이유가 있어요.
척
흥—! 좋다, 덤벼라!
너같이 버릇없는 녀석은
패서라도 교육시켜주마!

야아아—

싸우지 말고
한 번 더 가위바위보를
하면 어떠니?
작작들 좀 싸워라.
시이작—!
가위—
바위—
보—!
또 시작이군.

으으…,
어쩌면….
벌떡
와아—,
누나!
왜 그래,
참아!
진정해!
소리치지 마!
창피하지도 않아?
앉으라고!
와아ㅁㅁㅁ
내가 이겼다아아아~
제발
누나의 지능을
의심하게 하지
말아줘.
기분이다.
잠깐 TV나 봐야지.
찰칵
화요일에~ 만나요
이번
초대 손님은…

젊은이들의 우상
서·지·원의
「파라다이스」—.

정말 멋진 노래다.
파라다이스라….
사랑해, 슬비.
저… 저도요.

꿈 깨, 누나—.
쓰윽
파라다이스로 가자는 저런 비현실적인 녀석과 사랑했다간 굶어 죽기 딱 알맞아!
파라다이스가 좋다네 파라다이스~♪ 어쨌거나 좋다네 계속 좋다네~
화끈
나는 저런 계집애 같은 녀석은 정말 질색이야.
이 낭만도 분위기도 없는 녀석아—! 그대로 놔두지 못해?!
꾹!
틱!

어서 MBS
돌리지 못해?!
뭐야, 누나가 TV를 매점매석한 것도 아닌데 나더러 이래라저래라 할 자격 있어? 난 KBC가 좋아.

아

와르르

으으…, 더러운 걸레랑 수박 껍질을 잘도….
누… 누나, 시… 실수야. 고의가 아니라….
쓰… 쓰레기통에 갖다버리려고 했는데…, 누나가….

시험 기간만은 될 수 있는 한 조용히 지내고 싶었는데!
어떻게 하면 이 난관을 슬기롭게 극복할 수 있을까?
자… 잠깐, 누나.

앗! 누나-!
저길 좀 봐!

전국 팔씨름 대회
KBC주최
부상 1위: 제주도 2박 3일 항공료 및 숙박비 제공
참가자 전원: 헤어 드라이어
찬조: 아름나라 제과 주식회사

팔씨름 대회?
누나,
당장 참가 신청해!
저 대회는 누나를 위해
여는 거라고!
팔씨름
그래?
틀림없다니까.
누나가 참여하면
1위는 따놓은
당상이야.

저…, 근데 좀
창피하지 않을까?
여학생이
팔씨름 대회라니
좀….
뭐?
하
하
하
누나가
그런 소릴 하니…
꼭 여자 같아!
퍽

자식, 말끝마다
나를 무시하고
있잖아.
뭐, 뭐지?

벌떡

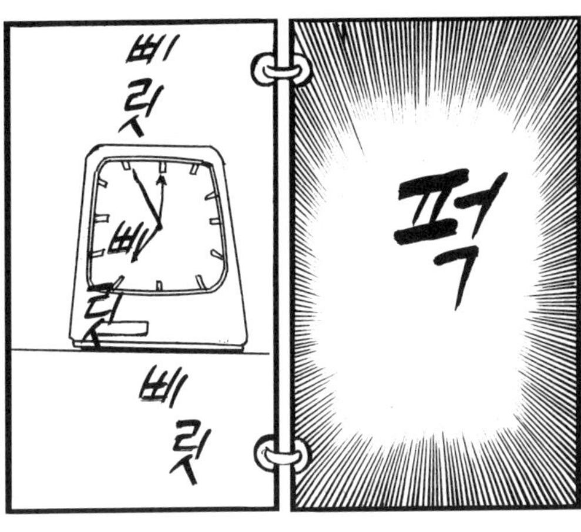

퍽
삐릿
삐릿
삐릿

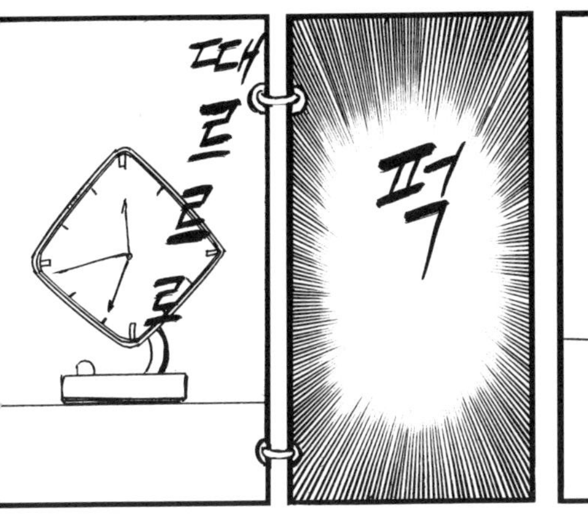

퍽
때르르릉

누나―!
따르르르
퍽
찌리리리
퍽
떨뎰뎰뎰
퍽

따르르르르!
마지막 남은 시계
때로로로로로
흑
흑 내운명은
이게...

이 사람을 기억하라!

성명: 이푸르매(男)
나이: 18세
혈액형: O형
수재에다 스포츠 만능…, 특히 무술 고수이자 쌍둥이 누나
슬비에게는 늘상 맞으며 사는 가엾은, 아주 가엾은 아이…,
그러나 집만 나서면 모든 이의 선망을 한몸에 입는 이 시대의 총아!

시계가 어쩐지
말랑말랑한 것
같은데….
ㄹㄹㄹ
아으으
아아아~!
쿵
아…, 미안해,
탁상시계인 줄
알고 그만….

괜찮아.
얼굴의 멍은
회복될 수 있지만
시계는 부서지면
끝이니까.
그동안
모두 힘들었죠?

이 시간이 마지막이니
최선을 다해요.

안 돼!
틀렸어.
화학은
H_2O 밖에
모르는데….

…그래,
마지막 수단.

컨닝을 하는거다!

준비 운동 시작….
아, 아이고~,
피곤해라.
잠시 쉬었다
다시 하자.
거기
안경 낀 학생
일어나!
쾅

두근
벌떡
네, 넷! 선생님!
아냐, 너 말고!
넷―! 저, 접니까?
휴
아냐! 그 앞에 안경 낀 학생.
정말 뻔뻔스런 학생도 다 있군
아…, 앞쪽이라면.
너 말고 누가 있니?
그… 그럼 역시 나….

죄…
죄송합니다,
선생님.
후들 후들
바… 바로
그 짝.
전부 다 안경을 꼈군

난…가?
후아아

저요?
부시시

그래, 바로 너!
이리 나와!
후후
칵칵
하하하

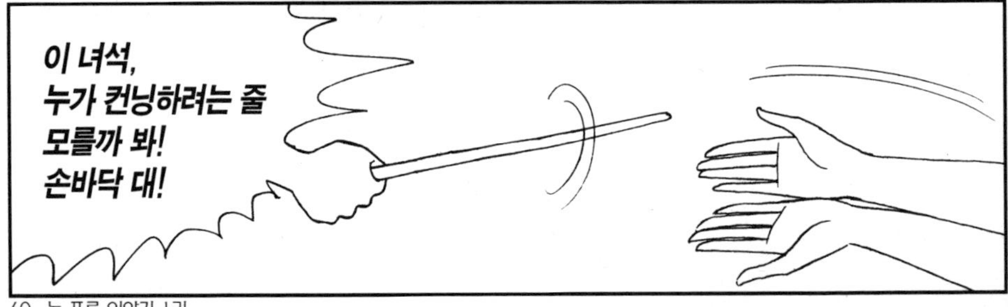
이 녀석,
누가 컨닝하려는 줄
모를까 봐!
손바닥 대!

딱
헉!

드… 들어가도 좋아.
나도 모르게 너무 세게 때렸군
꾸벅

비틀 비틀

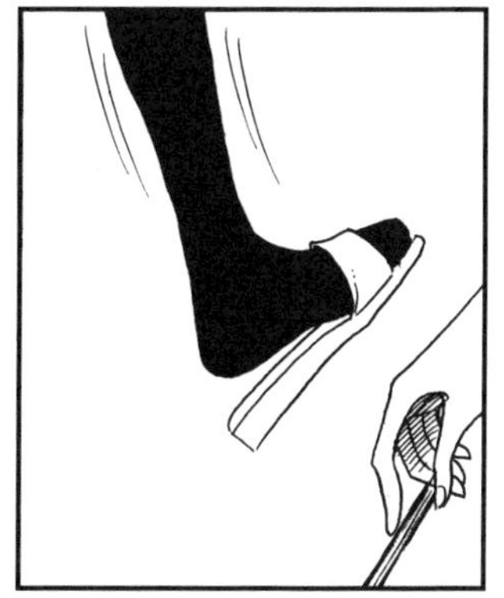

스커트는
이래서
곤란하다니까.
와아…
우우
역시 슬비다
무서운 학생이다….

때르르르릉
와아—!
끝이다아아—!
나는 노는 게
제일 즐거워.
야아—!
오랜만에 또
실컷 놀아볼까나.
그래!
우리 롤러
타러 가자.
거짓말!
스윽

좀 더 솔직하지 그래?
시험이 끝났다고 모두 방심하는 사이에 넌 잠 안 오는 약까지 복용하면서 공부하겠지. 그리곤 승자의 미소를 띠며 학교에선 노는 척하는 거야.
너는 이 길로 곧 도서관이 아니면 집으로 갈 거야.
후후…. 완벽한 추리다. 다른 누구든 속일 수 있어도 나의 예리한 통찰력 앞에서는 안 돼.
휙
으~, 이상한 녀석이야.
뚜벅 뚜벅

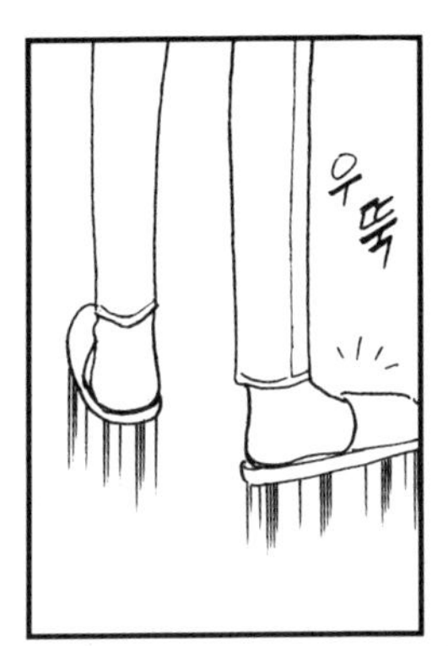
우뚝

또 뭐야?!!

척
뛰는 자 위에
나는 자 있다!

이 사람을 기억하라!

성명: 조종인(男)
나이: 18세 별명: 석빙고 혈액형: B형
이지적이며 냉철한 모습으로 푸른고교 여학생들의 동경의 대상이 되다!
특히 우수에 젖은 모습과 철학적인 중얼거림이 일품이라나 뭐라나…,

탁
……
으으윽…. 정신병자 같은 녀석 때문에 놀 기분이 사라졌다.
참아. 저 녀석 이상한 건 모두가 다 알아. 지껄이는 말들은 모두 유명인 말이나 격언들이지.
알고 있어.
근데 어제부터 유독 나에게 살의를 품고 있는 것 같아.
남학생들은 저 녀석 좋아하는 놈 하나도 없어.
저런 미친 녀석이 '멋진 남성 Best 10'에 들었다니…. 여자들 취향도 참 다양하지.
동감이야. 저런 녀석 좋아하는 여자가 있다면 어딘가 모자라거나 나사가 10개 정도 빠진 애일 거야.

좋아하는 사람이라고?
으응.
그렇게 멋진 사람은 내 평생 처음 봤어.
흐음!!
그런 남자가 여태껏 내 눈에 띄지 않았다니….
당장 취재해야겠어.
우선 어떻게 만난 건지부터 얘기해봐.
에…, 그러니까 일주일 전쯤이었어.
비가 오는 날이었는데.
모처럼 큰마음 먹고 일찍 등교했거든. 그런데 복도에서….

응?
와―,
굉장한 미남이다!
비 오는 날에 태어난
하루살이는
이 세상이 온통
비만 내리는 줄 알고
죽어가겠지.

기억하는 사람이든,
기억되는 사람이든,
우리 모두는 하루살이에
지나지 않는 것을….
아…
멋있다…..
저렇게
멋있을 수가…

그때부터
시간 날 때마다
찾아보는 거야.
몇 학년 누구인지….
네 말대로라면
'멋진 남성 Best 10'을
새로 작성해야 할지도
모르겠는걸.
혀… 현선아, 찾았어.
저기 저 사람이야.
어디?
아…,
걸음걸이도
멋있다.
동작 하나하나가
세련되어 있어.
고뇌에 찬 모습이랑
분위기가 영화 속에
나오는 사람 같다.
조종인 씨잖아?
너…, 아는
사람이니?
그래?
'멋진 남성 Best 10'에
올라간 사람이야.
걸음걸이, 동작, 고뇌에 찬
모습 등이 멋있다는 게
여자들의 일치된 평가야.
저 사람에 관한 건
내 만능수첩에
모두 기록되어 있어.

뚜벅
뚜벅
우뚝
두근
새….

새는 알에서
깨어난다.
알은 세계다.
…태어나려는 자는
한 세계를 파괴하지
않으면 안 된다.
새—.
새는 신에게로
날아간다.
신의 이름은
아프락사스이다.
그것을 견디고 인내하며
이룩해나가는 데서…
그… 의미를 찾을 수
있는 것….
인생에는…
그 나름대로의
고난과 역경,
좌절이
뒤섞여 있다.

아 역시 너무너무 멋있다~
슬비, 왜 그래? 정신 차려.
그래! 젊은 날에 사랑을 못해보는 사람만큼 억울한 사람도 없다고 그랬어.
그리고 결혼해서 같이 살아야겠다!
저 사람이야말로 내 일생의 반려자임에 틀림없어. 교제 신청을 해야지.

나, 어제
청문 고교랑
미팅했어.
시험 기간에 하니
더 스릴 있는 거
있지.
안 그래도 요즘
푸르매 녀석
꼴 보기 싫어 가출할
생각이었는데.
후훗
호호
저…, 현선아.
조종인에 대해서
잘 안다고….
염려 마!
내게 들어와 있는 정보
다 가르쳐줄게.
필요하다면 새로 더
조사해줄 수도 있어.
친구를 위해서라면
무엇을 못하리?
헤헤~.
고마워,
현선아.
응?

우뚝..
누구지?
여지껏 이런 냉기는
느껴본 적이 없었는데.

고수는 고수를 알아본다!
어딘지 숙명적인
라이벌 의식이
느껴진다.
왜일까?
전생에 저 사람과
무슨 원수라도 졌나?
착
월향선
월향선?
음—, 그러고 보니
부채에서 향기가
나는데…
그만두자.
저런 조그만
계집애에게
긴장한 꼴이라니….
말도 안 돼!
탁

왜 그래, 슬비.
아는 사이야?
아니―,
나도 잘 몰라.
앗―!
벌써 시간이
이렇게….
큰일 났다.
왜 그래?
나 먼저 갈게.
내일 봐, 현선아.
갑자기 무슨 일이야?
어딜 가는데 그래?
전국 팔씨름
대회에―!
팔씨…름?

늘
푸른
이야기

하—!
여긴 웬일이지?
현자 나리께서.
지원 형에게
오디션 받으러
왔어.

그래서 합격하면?
에버그린 멤버가 되는 거지.
흥! 몇 달간 끊임없이 따라다니며 아부하더니 대가를 받는 거군.
나는 확고한 신념을 가지고 자신의 의지가 명하는 대로 나갈 뿐이야.
다른 개인에게 뿌리를 박고 살지는 않는다.
위선자
이중 인격자
표리 부동자

월향선, 종인,
어서 와.
안 그래도 일이 있어
기다리던 중이야.
무슨 일인데요?
광고 하나
내려고.
신부감 모집 광고.
음.
이 사진이
괜찮군
우당탕
투당탕
신부감
모집이라니?
아… 아이고
서… 설마,
결혼하겠다는….

결혼해서
가정을 이루고 싶어.
……. 피곤하다.
갑작스러운 얘기라서
놀랐겠지만 진심이야.
난 지금까지
내가 외로운지도 모르고
그게 당연한 것처럼
살아온 것 같아.
…하지만 이젠 싫어.
그럼 저의
오디션은….
그건 염려 마.
종인의 실력은 내가
잘 알고 있으니까.
한 멤버로서
열심히 뛰자.
부탁한다.

그럼 제가
기타를….
기타는 나야!
혜자, 네 실력으로
더 이상은 무리야.
나는
지원의 곁에
있고 싶어!
기타를 놓는다고 해서
못 보는 것은 아니잖아?
팬클럽 회장에
내 보디가드…,
그것만으로도
너무 바쁠 텐데.
그… 그거야
그렇지만.
그건 중요한 게 아냐.
내 인생 반세기가 걸린
결혼이 우선이지.
지금 곧 매스컴에
연락할 생각이야.
16세 이상의 여성은
모두 응모할 수 있어.
그리고
심사위원은 나!

인기 최고인
에버그린의
멤버가 되다니….
후후…. 역시
나는 대단해.
멋진 생각이지?
지… 지원,
정말이야?
그럼 저는
이만….
그 애들도
응모하면 되잖아.
결혼이라니….
팬들이 알면
가만히 있지
않을 거야!
……….
시끄러워!
귀찮게 쫑알대지 마!
그런 게
어디 있어?!
흥!
아무래도 좋아.
언젠가는 너희들보다
월등히 뛰어난 나를
인정할 때가
올 거니까.
나를 무시하는군.
훽
…….
…….

나는 야심을 가진 사나이.
공부도 음악도 지지 않는다.
일인자로서 모든 이에게 군림하고 말 테다!
내가 이런 생각을 하는 걸 그 누구도 모르겠지?
후 후
저기 얼빠진 놈처럼 히죽거리는 녀석, 조종인 아냐?
월향선은 왜 이렇게 늦지?

월향선 걔, 서지원에게 완전히 빠졌다며?
누구나 아는 거 아냐? 서지원에게 접근하는 애 중에서 성했던 애 있냐? 그때 그 여자애만 해도.
우리야 월향선이 시키는 대로 하면 돈도 생기고 실컷 즐길 수도 있다만.
월향선은 나도 섬뜩할 때가 많아.
여자가 앙심을 품으면 오뉴월에 눈보라가 치는 법.
쿵 작
쿵 작
쿵 작
일요일은 언제나 즐거워라
멋있는 남자가 날 부르네
맛있다~. 아이스크림은 역시 밀아콘이 최고지.

으음….
명화극장에서 모처럼
멋진 외화를 하네.
〈화이어폭스〉라…
의 신문
T.V 프로그램
MBS
KBC
MBS엔
베스트셀러 극장을
하고…
〈머털도사〉?
에이~.
무슨 제목이 이래.
팔씨름 대회에서
무리를 했나….
샥신(삭신)이 쑤시네.
아우웅
몸 좀 풀어볼까나.
영차
예선전은 통과했으니
다음 주 토요일에
승부를 낼 일만 남았군.
하나 둘
하나 둘

하아—!
타앗—!
하—

성명: 이슬비(女)
나이: 18세
혈액형: A형
스포츠 만능.(몸으로 때우는 것은 무엇이든 O.K) 푸르매와 함께
격투기를 10여년 수련한 고수로, 어떤 일이든 폭력으로 해결하려는
다소 흉폭한 기질의 소유자.

호웃!
어…
풀썩!!
아…, 아이고~,
피곤해라.
역시 세상엔 공짜는
없는 거야.
…….
1등은 제주도
여행권이라고 했지.

벌써 자나?

슬비,
저녁도 안 먹고
자는 거야?
일어나서 밥 먹고 자!
으음

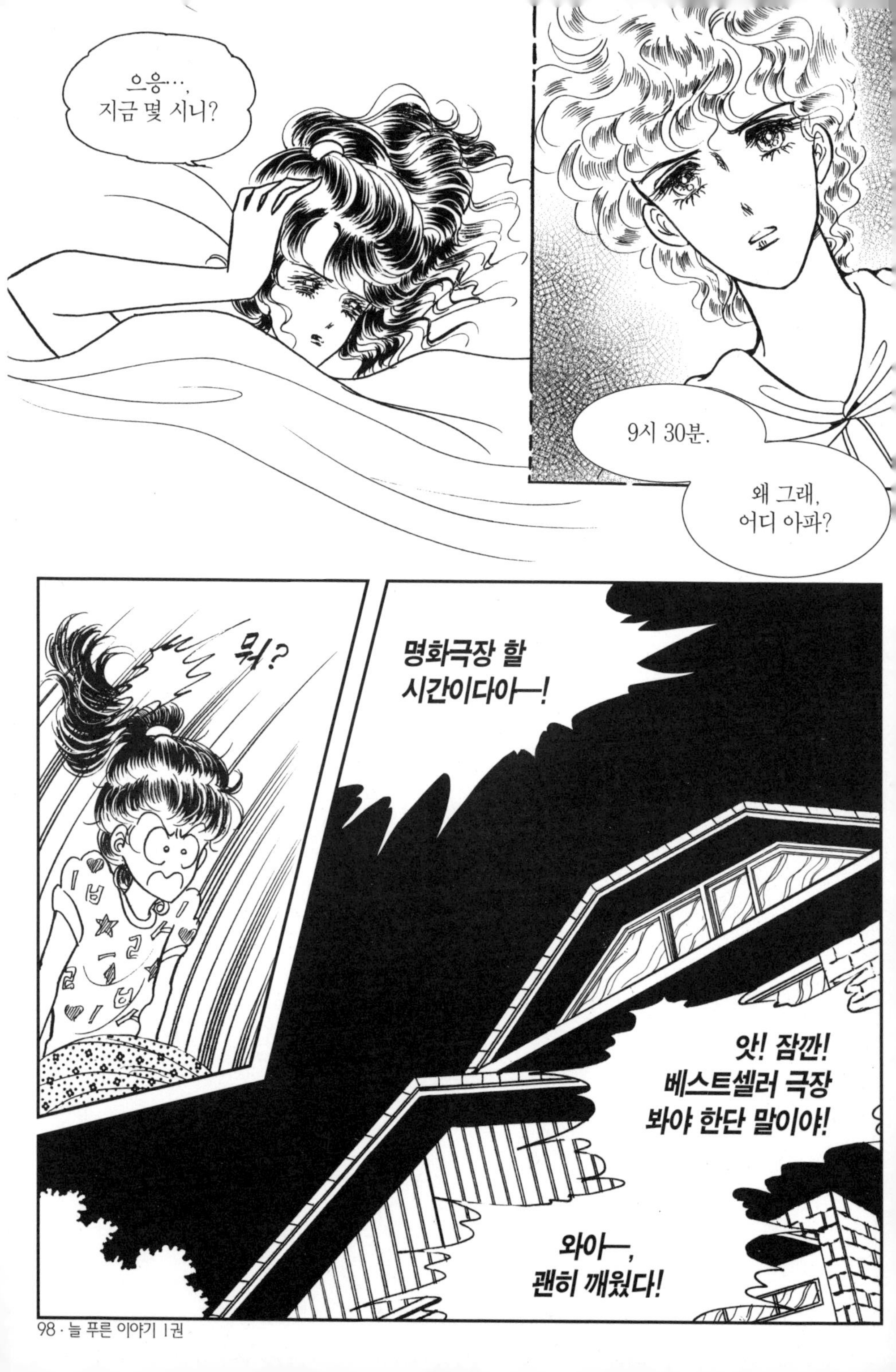
으응…,
지금 몇 시니?
9시 30분.
왜 그래,
어디 아파?
뭐?
명화극장 할
시간이다아―!
앗! 잠깐!
베스트셀러 극장
봐야 한단 말이야!
와아―,
괜히 깨웠다!

당장
명화극장
안 틀어?!
싫어!
이것만은 양보 못해!
일주일이나 기다려온
프로란 말이야!

이 자식이…!
놔!
옷 늘어진단
말이야.
난 죽어도
양보 못해!

그렇다면
방법은 하나뿐이다.
덤벼!
아유~,
미치겠네!
내가 말했잖아!
그걸 보려고 일주일이나
기다렸다고!
머털도사가 얼마나
의미 깊은 프로인지
무식한 누난 모를 거야!

뭐라고?
내가 무식해?!
그럼 미국의
16대 대통령이
누구야?
그… 그건
그러니까….
컨닝은 알아도
링컨은
모를거야.
내가 알지.
누나 지식의
깊이를.
이 짜—식아,
그러니까 외화 보고
알려는 거잖아!
찌
지
지
지
찌
지
지
지
왜 욕하고 야단이야!
바른 말 고운 말
쓰기로 맹세한 게
언젠데!!
그리고 누난 왜
외화만 좋아해!
우리 것을 찾자는 말
몰라?!

시끄럽다, 이놈들아! 지금이 몇 신줄 알아?!

톡

틱

여기 있네.
그건….
……!
…결국…
주사위는
던져졌다!

그… 그래.
역시 그 방법뿐이야.
무서운 일이지만.
그렇다!
누군가 한 사람
양보하지 않는 한….
푸르매,
승부를 가리자!
좋… 좋아,
근데 누… 누난
무섭지 않아?
난 떨려.
방안 가득히
석양의 무법자
주제곡이 흐르고있다
나도 극도의 긴장을
느낀다.
그러나 통과해야 할 관문.
여장부 대
졸장부의 대결!
용감히 싸우다
죽는 거다.
꿀
꺽…
한 순간의 힘이
모든 걸 좌우한다.

타핫!
하아앗!

바위,
가위,
보!
착
이… 이럴 수가….
이놈의 손이 주인의 허락도 없이 주먹을….

헤…
이건 오직 TV 신이 나를 도운 덕분이야.
우! 와락
우리의 호프 머털도사.
…….
oh~, I love TV♡
이건 잠을 일찍 자라는 신의 계시야. 그래서 내일만은 지각을 말라는….
그래! 신의 계시를 따르자.
으아아—, 지각이다! 지각 15분 전이야!
엄마, 왜 빨리 안 깨우셨어요? 난 몰라~~!!
아앙앙—!
앙앙앙—

오늘부터 지각하면
화장실 청소인데…!
어휴—,
조금만 더
일찍 서두르지
않고….
이럴 수가!
어…, 어떻게
자면 잘수록
더 잠이
올 수 있지?

쾅!

아이고
아파라
미안해요. 너무 바빠서 그만….
아니…, 나도….
오히려 내 쪽에서 미안해요.
두근
아차—! 이러고 있을 때가 아니지!

화장실 청소냐?
아니냐?
이 긴박한 순간에!
ㅊ
ㅊ
ㅊ
잘못하면
지각하겠다.
모범생인 내가
출석부에 오점을
남길 수야 없지.
다 다 다
엉?!
질 수야 없지!

나야말로!
히익
우아앗!
뭐야?
글쎄, 뭔가 지나갔는데….
바람인가?
육상부인가 봐.
부지런하네.
도착!
교문이다─!

8시 전에
들어왔다.
하아
하아
지각은
면했다.
헉 헉
아…,
참 예쁜 아이도
다 있구나.
드르륵
왁자지껄
웅성
웅성

뭐지?

아! 슬비.
왜 이렇게 어수선하니?
가수 서지원 때문이야.

아
서지원이라면… 「파라다이스」 부른?

그래.
너 그 사람 우리 학교 3학년에 재학 중이라는 것 몰랐지?
정말?

시간 날 때만
학교에 오기 때문에
출석일수 모자라서
유급됐다더라.
변장을 잘하고 다녀서
얼른 알아보기 힘들대.
아무튼
그만큼 보기 힘들기에
'멋진 남성 Best 10' 에
몇 주째 1위야.
…한데 문제는
그게 아니야.
기대하시라.
개봉박두—!
부시럭
부시럭
?
짜
안
신부를 찾습니다

신부를 찾습니다.
만 16세 이상의
여자답고 상냥한 소녀는
모두 접수해주시기 바랍니다.
주소: 서울시 ××구 ×동 ×-11번지
TEL: 45×-010×

웅성!
당장 응모할 거야.
웅성!
너무 멋있다, 얘.
신부를 찾습니다
시끌!
벅적
저 고독한 눈매….
신부를 찾는다니, 귀엽잖아. 호호~

아마존클럽의 백장미다.
슬금
슬금
가자, 얘.

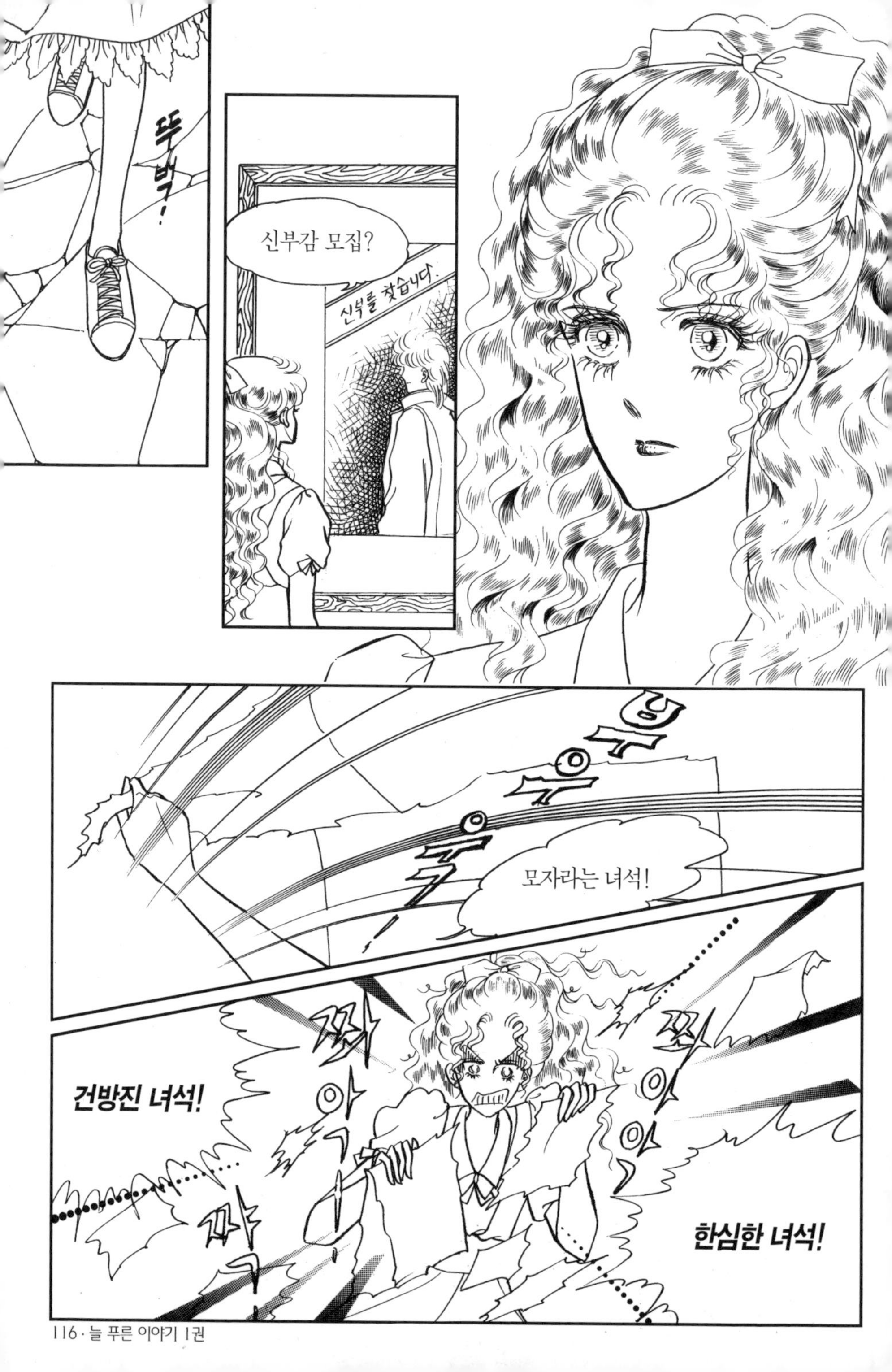
뚜벅!
신부감 모집?
신부를 찾습니다.
모자라는 녀석!
건방진 녀석!
한심한 녀석!

정신병자
같은 녀석!
무진장
나쁜 녀석!
여자를 우습게
아는 녀석!
파각
파각
하아!
하아!
살아 있을
가치도 없는
하등 생물!!
우ㅡㅡ
백장미 친위대
장미는 역시
굉장해...

투탁
가자!
네!!

반짝
반짝

이 사람을 기억하라!

성명: 백장미(女)

나이: 18세

푸른고교 여류 무도가 서클인
'아마존'의 회장이며, 연극부 부장이기도 한 모범생.
흰색을 좋아해서 늘 하얗고 드레시한 옷을 즐겨 입는
아름답고 우아한 소녀.

휘리리리리이
엉!
팔랑
와아
굉장하다..

월 향 선
굉장한 실력이군.
그래.
… 누구냐?
월향선.
서지원 팬클럽 회장이며 보디가드. 얼마 전까지는 에버그린 멤버였지.
너 따위가 나의 지원을 모독하다니, 용서할 수 없다!

보디가드?
훗—. 사내 녀석이 오죽 못 났으면 여자 뒤에 숨을까?
장미, 그 애 일진이야.
생각났다. 월향선 안혜자라고, 웬만한 주먹패도 피한다는….
흥~. 나더러 일진이라고? 그러는 너희 아마존은 다르냐?
다르지.
우린 정의 사회와 여성의 명예, 권리를 찾으려 노력하는, 학교에서 승인받은 동아리다.
정의 사회?
하하하하하…
저 건방진 계집애가? 장미, 내가 상대할게!
그래서 너희들만 오면 모든 아이들이 달아나는구나.

그것 참 반가운
소리군.
안 그래도 주먹이
근질근질해지던
참이었는데.
아직 늦지 않았다.
지금이라도 용서를 빌면
없었던 일로 해주마.
용서를 빌 쪽은
너야!
불행을 자초하는
계집애군.
… 좋아.
청·초·홍—.
나가라.
엣!

얼마든지 와라!
이렇게…
마무리한다는 건─,
너무
시시하잖아?!
파
ㅅ

高! 道! 理!

착!

타—아
흥~.
비공술인가?

내가 귀신 잡는
무당 출신이란 걸
모르는 모양이군.
이쯤에서
장난을
그만둘까?
오호~,
제법.

이 사람을 기억하라!

성명: 안혜자(호: 월향선)
나이: 19세
서지원의 보디가드며, 팬클럽회장, 정열적이고 무모한 성격의 소유자.
그녀의 손에서 부채가 펴지는 날은 산천초목이 떤다나….

아마존 회원은 모두 유단자다.
특히 저 6명은 최고수가
아니던가?
그런데
부채 하나 들고
저렇게 여유롭게
쓰러뜨리다니….
월향선 안혜자.
우습게 볼 여자가
아니야!

이번엔 누구지?
오합지졸만 모인
아마존.
후
후
후...
하
하
하
하
하
하

팍! 팍! 팍!
비기
피박이다!
샤
우왓!

어디, 해볼까?
월향선.
좋아! 이제야
상대할 기분이 좀
나는군.

그만둬, 둘 다!
신성한 교정에서 이게 무슨 짓이야.
이 싸움은 다음으로 미루어주지.
자신 있겠지, 아마존?
물론!

분하다!
청·초·홍·高·道·理가
그렇게 맥없이
무너질 줄이야….
장미,
리본….

힘을 길러야 한다!
아니—, 누군가
우리 아마존을 구원할
사람이 있어야 한다.
꽉!

월향선을 능가하는—!

때르르르릉

애들아—,
오늘 1교시 영어 선생님
결근이래—.
드르륵
좋아할 것 없어요.
1교시는 자습을 하겠다.
모두 시작하도록!
이제 여러분도
곧 고 3이 되니 단단히
각오를 해야 해요.
열심히 공부하는 길만이
부모님께 효도하는 길이니….

……
2-7
그럼 계속
자습에 충실하도록!
드르르륵
탁!

갔나?

싹
갔겠지?

음…,
다시 한번 점검.
뱅그르르

갔다!

와아아—!
떠들고 놀자.
해방이다.
재청이요!
동의합니다!
태현선 멋쟁이!

이슬비, 앉아서
조용히 공부나
하지 그래?
괜찮아!
젊어서 놀지
언제 놀아?!
그럼 공부는
언제 하지,
이슬비?
불쑥!
히익-!
수업 끝나고
교무실로 오도록!
아아

탁!

봐!
서지원이야.
벽보 일로
학생과장께
혼나고
있나 봐.
확실히
잘생겼다.
그치?
대체 이게 뭔가?
이런 걸로 학교를
소란하게 만들다니….
장난에도
때와 장소가
있는 거야.
노총각인
나도
있는데…
학생과장 김광수
「바위 맨」
장난이 아닙니다.
저는 정말
결혼할 겁니다.
아팡팡
허허,
정말 결혼
하겠다고.
정색한
저 얼굴….
정말 귀엽군.

자넨 아직 학생이야.
아이고 허리야…
자신의 나이가 몇인 줄 알고 있나?
만 18세입니다.
법적으로 결혼이 가능한 나이지요.
FLAT FISH
SHARK
GLOBE FISH
방글 방글
이 녀석, 올 여름 더위에 파삭 간 거 아냐?
그… 그러나 결혼이라는 것은 자고로….
김광수 선생님, 전화 왔어요.
아…, 네.
결혼하는 게 왜 나쁘다는 걸까?
다들 말리기만 하니….
오늘은 이만하고 다음에 얘기하자.
가서 부상이나 잘 치료해.
예, 선생님.

아차,
가방.
어떻게
하지?
교무실에
가는 길이니?
응?
그런데,
왜…?
그럼, 교무실
창가에 놓여 있는
갈색 가방 좀
갖다줄 수 있겠니?

뭐?
왜 내가 남학생의…
그것도 처음 보는 애의 심부름을
해줘야 하는거지?
그래….
그럼 할 수 없지
뭐.
싫어.
절뚝
절뚝

자, 잠깐만—.
갖다줄게.
고마워. 여기서 기다릴 테니, 빨리 와.
이슬비, 너는 애가 왜 그러니? 수업 시간에 조는 걸로 온 교무실에 소문이 쫙 나질 않나…. 그저 놀려고만 하고.
…죄송합니다, 선생님.

아아…,
지혜, 네가 떠나던
그 하늘과도 같은….
…가방…,
가방….
이봐요—!
가방 갖고
왔다니까!

어….
고마워.
정말 무거웠지?
…….
뚜벅
뚜벅
안됐다.
저렇게 미남인데
다리를 절다니….
착한 일을 했으니
천국에 갈 거야.

이 사람을 기억하라!

성명: 서지원
나이: 20세
천애고아로 미국에 고모님이 한 분 살고 있을 뿐이다.
감미로운 허스키 보이스와 투명한 미모로
청소년층의 폭발적인 인기를 얻고 있는 아이돌 가수.
푸른고교의 학생(1년 유급된 상태로, 현재 3학년).
성적 나쁜 점에선 타의 추종을 불허하는데,
본인은 굳이 수업일수 미달을 그 이유로 들지만,
순전히 머리 나쁜 탓임을 아는 사람은 다 안다.

안녕―.
내일 봐.

탁
아…, 미안.
미…
미안해요.
꾸벅
와 미남
괜찮아요.

향기….

샤넬
샤넬
샤넬
그녀에겐 그녀만의
향기가 있다!
여성만의 껌…
Miss 샤넬.

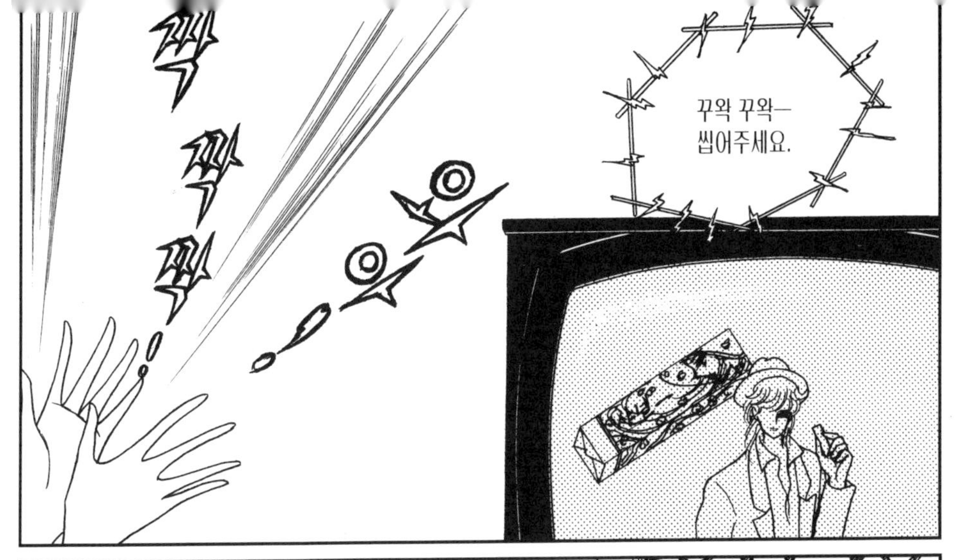
짝
짝
짝…!
오
오
꾸왁 꾸왁—
씹어주세요.

너무너무
멋있어요,
지원.
그렇지?
내가 이렇게 멋진 걸
나도 예전엔 몰랐어.
정말
멋있다.

카메라맨이
잘 찍은 것뿐이야.
내가 모델이었으면
더 멋있게 나왔을 텐데….
억울하다.

무슨 생각
하고 있어,
종인?
아…
잠시 저의 편견에 대해
생각하고 있었습니다.
편견이라니?
저의 편견은
이 세상 모든 사람은
다 선량하고 인자하며,
저보다 훨씬 뛰어난 능력을
지니고 있을 거라는 것입니다.
역시 종인은
겸손하고 생각이
깊구나.
아닙니다.
형에 비하면
전 철부지지요.
물끄러미

왜…
왜 그러지,
월향선?
아냐,
아무것도.
지원 씨
발목 부상은
좀 어때?
응
발목?
좀처럼 낫지 않네.
살짝 삔 것뿐인 줄
알았는데….
지원 씨는 몸이 약해
정말 큰일이라니까요.
걸핏하면 아프고
남들 다 괜찮은데
혼자 다치고….
역시 내가
입주해서
옆에서
보좌해야….

아 참,
신부감 모집!
오늘까지 응모한
사람이 몇 명이야?
120명이 조금
넘습니다.
여기 이력서랑
사진….

종인과 혜자가
10명만 뽑아줘.
10명 중에선
내가 뽑을 테니.
오늘 결승전을 치른
여자 팔씨름 대회에서
의외의 참가자가 1위의
영광을 안았습니다.
우승자는 지각 때문에
자동 기권이 되려다
스포츠 뉴스
할 시간이다.
아슬아슬하게
참가한 슬비 양.
청코너 160cm, 45kg
이슬비 양.
홍코너에 165cm,
160kg의 이상은 주부.
둘 다 막강한
실력입니다.
이기느냐,
지느냐의
긴박한 순간.
두 사람의 이마에
땀이 비 오듯
흐르고 있습니다.

하아-!
퍽
이슬비-!
이슬비 양의
승리입니다!
올해 푸른고교 2학년에
재학 중인 이슬비-.
저 가녀린 몸 어디에서
저런 막강한 힘이….

※ 세사람 모두다 슬비를 한번씩
보거나 스친적이 있다.
쫑
옹
…대단한 애구나….
땀방울이 불빛에 반사되어
반짝 반짝….
눈이 부시다!
와아 만세ー

굉장했어,
슬비.
전 몸으로
때우는 일이라면
뭐든지 자신 있다고
했잖아요.
건강한 게
제일 아니겠어요?
참! 누나,
시험은
잘 치뤘어?
뜨끔
괜찮다.
공부는 못해도 좋으니
튼튼하게만
자라다오.
하지만 아버지―,
무식하게
힘이 센 여자랑
누가 결혼하겠어요?

괜찮아.
헌 짚신도 짝이
있으니까.
그건 옛말이죠.
요즘은 짚신 혼자인
독신이 얼마나
많은지 아세요?
누가
누나 같은
괴물을….
으음

퍽
누난 내 충고에
꼭 이런 식으로
보답해야
되겠어?!

그게 충고냐?
비난이지!
밥 먹을 땐 개도
안 건드린다는데,
때렸지?

툭
너 같은 녀석이랑
같이 사느니,
괴물이랑 같이 살겠다!
탁
그래—!
지금이라도
가줬으면 좋겠군!
그만두지 못해?!
탕

도대체 하루도
안 싸우고 지내는
날이 없으니….

아… 아버지.
차후로 이런 일이
있을 경우…,

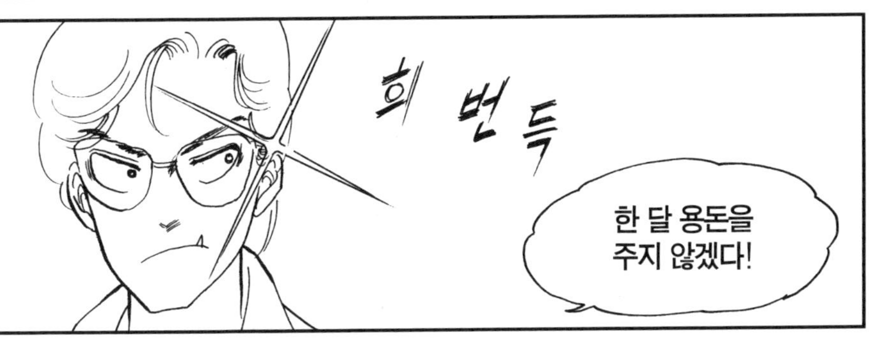
희번득
한 달 용돈을
주지 않겠다!

…….
…네….

슬비야—, 전화 왔다. 현선이구나.
현선이?
응, 나야.
너 뉴스에 나왔더라. 우승 축하한다.
으응…, 고마워.
목소리가 왜 그러니?
아냐, 아무것도.
참, 너… 조종인 몇 반인지 아니?
아마 2학년 1반일걸? 왜?
으응. 저… 그….
호호호~. 말 안 해도 알겠다. 잘해봐.
그래.

하아—.
가슴이 왜 이렇게
두근거리는 걸까?
사춘기라는 게
이런 걸까?
두근
두근
두근
두근
아이고~,
부끄러워라.
괜히 말했나 봐.

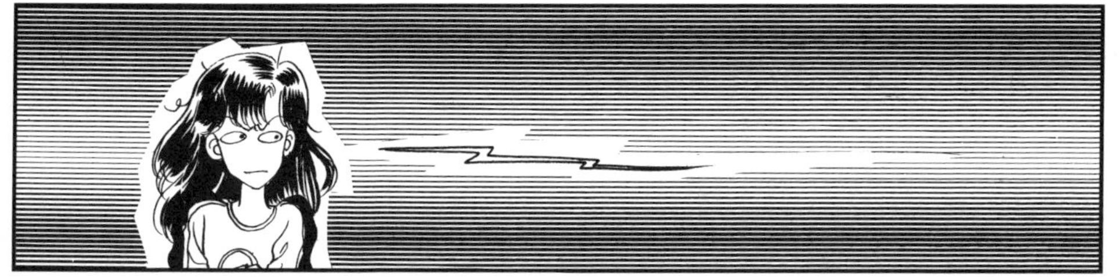

분위기도 낭만도
없는 녀석!
투덜…
투덜…
…꿈 많은 소녀를
괴물이라니….

옛날엔 안 그랬는데,
자라면서 점점 미운 녀석으로
변해간단 말이야.
그래,
어린 시절에는 내 말도 잘 듣고
귀여웠는데.
엄마 다녀올 동안
사이좋게 놀고
있거라.
네!
방글 방글
어머나!
푸르매는 머리가
너무 길구나.

자, 이 돈 주고
이발소에 가서 그냥
짧게 깎아달라고 하면 돼.
알겠지, 푸르매?
천 원
네.
야아~,
천 원이다—.
다녀오세요.
그만큼 큰 돈
처음 만져본다.
그치?
그래.
구슬 1000개도
살 수 있어.
아이스크림은
10개.
떡볶이도 무진장
먹을 수 있고….
로봇 태권 K도
살 수 있어, 슬비.
흐음.

내가 머리 깎아줄게.
이 돈으로 로봇도 사고
아이스크림도 먹자.
그래
얍~!
정의의 아이스크림
요정이다.
악당은 물러가라.
부우우웅
난 태권 주먹 K다.

싹둑…
싹둑…
슬비,
오른쪽이 너무
짧은 것 같아.
그래?
그럼
왼쪽을….
싹둑
싹둑
미안 미안,
내가
다시 잘라줄게.
앗―!
왼쪽이 오른쪽보다
더 짧아!

거울 같은 건
보지 마.
신경 쓰이니까.
휙
그래.
싹둑
싹둑
슬비, 푸르매,
엄마 왔다—.
어서 나오너라.
너희들이 좋아하는
미트볼도 사왔….
……!!!

에헤
슬비는 아직 밖에 있나?
양심이 있으면 저 애 머리 보고 들어오지 못할 거예요.
……
훌쩍
아이고~, 추워라.
배도 고프고….
괜히 아이스크림 사 먹고
로봇 샀다.
이럴 줄 알았으면
안 그랬을 텐데….

슬비.
거기 있어?
푸르매.
빨리 들어가서
저녁 먹자.
아…, 아냐.
난 여기가 좋아.
여기가
좀다니까.
왜 들어왔니?
…….

엄마, 슬비 안 나빠.
내가 깎아달라고
졸랐어요.
그러니
야단치지 마세요.
화
끈
이 머리도
괜찮아요.
조금 있으면
금방 자랄 건데요,
뭐.
뚝
뚝
여보,
푸르매가 저러는데
그만 용서해줍시다.
허허…
사이가
좋기도 하지
나 참….
그땐 정말
천사같이 보였었지.

지금은 아마
악마가 씌었을 거야.
나쁜 녀석!
아니지.
러브레터를 쓰는데
이런 마음을 가지면
안 되지.
밤하늘을 보면서
문득 떠올리게 되는
얼굴이 있습니다.
…음, 역시
이 서두가 멋있어.
그 다음은….
툭
에이~,
생각이
잘 안나네.
저는 2-7반의
이슬비라는 학생입니다.
댁의 모습을 보고
한눈에 반했습니다.
아이고~.
너무 유치한 것 같다.

누나 뭐 해? 또 반성문 쓰는 거야?
쓱
으약
보지 마! 보지 마! 저리 가, 에비—!!
뭐야! 사람을 벌레 취급하고….
이 만화책 안 보지?
월간 고도리!!
잠시푸르른이야기
좀 빌려갈게.
그래, 빨리 가져가.
참—, 푸르매. 너 몇 반이니?
뭐야? 여태 내가 몇 반인지도 몰랐어?
1반이야.

그… 그래?
뭐? 정말?
같은 반이면서
어쩌면 저렇게
다른 분위기람?
음…, 역시 만화도
『잠시 푸르른 이야기』가
최고야,
뭐, 뭐라고?
그럼 부탁한다,
푸르매─.

이…,
이럴 수가!

슬비가 조종인에게
러브레터를?

이런 건 휴지통에
던져버리고 싶다.

…….

탁
조종인
와아
와
이슬비,
날려!
푸른
71

재가 이슬비야.
스포츠 만능이며
현재 배구부원.
제법
예쁘장하네?
퍼엉
푸른
푸른
와아
와아
와아

역시 슬비야!
아무도 서브를
못 받잖아.
팔씨름
천하장사.
앗!
조종인이다.
구경왔나 봐.
야~!
시합 중에 한눈팔면
어떻게 해?!
조종인!
내가 보낸
편지를 본 거야!
그래서….
두근
두근
슬비,
조심해!

꽝
푸른
우우
운동의 천재
이슬비가….
와아~.
원숭이도 나무에서
떨어진다더니….
비틀
어이쿠
괜찮니,
슬비?
벌써
사라지고 없구나.
이슬비 재는
왜 저런 모습까지
멋지고 그러냐.
큭큭…
그건 좀
아닌 듯….

하지만 괜찮아.
곧 만날 텐데 뭐….
때르르릉
금요일은 수업이 많아서 질색이야.
아프
이렇게 늦게 끝나는 반은
전 학년 중에 우리 반뿐일걸.
슬비, 분식집에 갈래?
나 오늘 볼일 있어.
거절하면 어떡하지?
아냐! 절대 그럴 리 없어!

웅성 웅성
흥—.
지조 없는 녀석.
아무나 접근하면
바보처럼 히죽히죽
좋아하다니….
수준 낮게스리….
톡
뭐야,
또 러브레터…?
찌직
철봉 있는 데서
기다린다고?

나답지 않게
자꾸만
가슴 뛰는걸?

앗!
콰당
봐… 봤을까?
아냐, 못 봤을 거야.
아아…. 난 왜 늘 이렇게
실수만 할까.
분홍색이군.
쾅
절망

네가
이 편지 보낸
이슬비니?
끄덕
그러고 보니
오늘 운동장에서
얼핏 본 애구나.
배구공에 정면으로
부딪힌.
쾅
보너스
절망
절망

여지껏 여학생들에게서
수많은 편지를 받아왔어.
물론 대부분
봉투도 안 뜯고
휴지통에 버렸지.
그래도 수량은
기억해두었는데,
오늘 네가 보낸 게
100번째 거야.
꿀꺽
그래서 이것만은
읽어 봤더니
친구가 되고 싶다고
적혀 있더군.

돌려주겠다.
휙
어차피 여자에게 흥미도 없지만
칠칠맞은 애는 더욱 질색이야.

이제 두 번 다시
그 사람을
볼 수 없을 거야.
…왜 그런 편지를
썼을까?
새벽같이 일어나
몇 번이나 씻고
모양을 내고….
죽고 싶어.
바보 이슬비…,
바보….
휘익
어디 아프십니까?

많이 불편하시면
제가 집까지
모셔다 드리지요.
괜찮아요.
그러지 말고
제 뒤에 타십시오.
괜찮다니까요!
쾅
모셔다
드리겠습니다.
비틀
비틀
괜찮으니
상관 마세요.

쿵!
……
바아아앙
바아아아—

부릉!
길고 긴 인생—
좋은 일도 나쁜 일도
많기 마련이지요.
일희일비 말고
힘내십시오.
부릉!
바아아앙—

…참…
친절한 사람도 다 있구나.
그런데 어쩐지….

슬비….
콜록
콜록
콜록
그건 뭐야,
슬비?

슬비는 정말 대단해.
구슬치기 챔피언 같아.
그럼!
내가 누구니.
응—, 딱지랑 구슬.
오늘 밖에서
내가 딴 거야.
와
많다!
와르르…

슬비야 노올자ㅡ
그래 잠깐 기다려
가서 몽땅 다 따야지.
나도 구경 갈래.
안 돼, 푸르매. 넌 방에 있어.
엄마가 감기 때문에 밖에 나가면 안 된댔잖아.
나도 놀고 싶어. 슬비!
으음~.
그럼 나보고 누나라고 부르면 데리고 가지.
싫어! 그냥 슬비다.

이게?
딱!
아얏—.
누나라고
안 부를래?
딱!
아야~! 아야~!
때리지 마, 슬비.
빨리—! 열 셀 동안에
부르든지 말든지 해!
하나!
둘, 셋, 여섯,
아홉….
잠깐!
천천히 해.
열—!
누가 나무 뒤에
숨었나?

어린 시절 슬비는
뭐든지 다 잘했다.
구슬치기랑 딱지도….
콜록
콜록
야!
또 내가 이겼다.
딱
에이
또 슬비에게
몽땅 잃었잖아.
몸이 약해
잘 놀지 못했던지라,
나는 그런 슬비가
자랑스러웠다.

슬비,
우리 부자다.
그치?
그럼!
내가 누구니!
집에 가서
나도 가르쳐줘.
좋아!
내 후계자로
키워주지.

어린 날은 추억이 많다.

동네 아이들이 내 로봇을
빼앗으려 했던 적이 있다.

빨리 안 내놔?
조그만 녀석이!
퍽
싫어!
이건 내 거야!!
누나~.
푸르매!
툭
탁

누나는 힘이 세고…
언제나 강한 것 같았다.

나를 위해
싸우는 용감한 소녀….
한번만 더 내 동생 괴롭히면
가만 놔두지 않을 거야!
누나~.
어린 날의 슬비는
내 우상이었다.
걱정마, 푸르매.
그 녀석들,
다시는 널 괴롭히지
못할 거야.

그런데….

슬비 너,
오른손은
왜 그렇게 크니?
그래,
괴물 손 같아.
시끄러워!
구슬 나한테
다 뺏기니 분해서
그러는 거지?

얼레 꼴레요
슬비 손은
짝짝이래요
와
슬비
괴물
멍청이
이 녀석들이?!

와아—! 도망가자!
이…

나쁜…
…….
…녀…석들….
주르르
흑
흑
누나….
그 모습을 본 나는
보호를 받아야 할 쪽은
내가 아니라 누나라고 생각했다.

내가 매일 이렇게
비실비실한 꼴을 하고 있으니까
슬비를 놀리는데도 그 녀석들을
혼내주지 못하는 거야.
강해져야 해!
이제부터는 열심히
운동도 하고….
앞으로는 그 누구도
슬비를 울리지
못하게 할 거야!
울지 않게 할 거야!!

슬비 양—.

짜안~
누구세요?
정의의 기사 흑나비입니다.
이 꽃을 받아주십시오.
오른손이 무척 예쁘군요.
네?

다다다다…!
이 꽃 예쁘지?
정의의 기사가
내 손이 예쁘다고
꽃 줬다.
방긋 방긋
헤헤…
슬비….

나는
슬픈 모습의 슬비보단
언제나 웃는 슬비가 좋아.

다음 날 아침,
슬비는 폭삭 늙은
자신을 발견했다.
이게 내 얼굴이란
말이지…?

곧 문화제 행사가
시작됩니다.
우리 반도 참가 종목
결정을 해야겠는데
좋은 의견 있으면
말씀해주십시오.

급훈:
잘먹고
잘살자!
포장마차가
어떻습니까?
또 다른
의견은?
이번 문화제 때
에버그린이 올지도
모른대.
정말?

그 사람이 온다고?

와~.
그 사람의 노래를
직접 들을 수 있는 거야.

조종인 씨도
멤버로 활동하게
될 거라던데….
참, 슬비 너
잘됐니?
…….
거절당했어.

어쩐지 안색이 나쁘더라.
너무 상심 마.
세상에 남자가 한둘이니?
그리고 처음엔 괴롭지만
2, 3번째부터는 차츰
담담해질거야.
실연 50회 기록한
나의 경험론이야.
50회?

'멋진 남성
Best 10'이란건
도대체
누구 누구를
말하는 거니?
'멋진 남성 Best 10'에
든 사람에겐
무조건 접근했어.
연상연하를
안 가리고 말이야.
여기 목록표.
이번 주 것 불러줄게.
1위 서지원,
2위 이푸르매,
3위….

그쪽 좀 조용히 해주십시오.
이푸르매?!
조종인과 같은 반인데 여자애들에게 인기가 굉장해. 남학생들 사이에서도 신망이 두텁대.
이푸르매 …라니?
이푸르매 잘 아니?
이푸르매, 그 멍청한 애가 어떻게….
2-7
드
르
르

이푸르매다!
웬일이지?
우리 반에 어떻게….
저…, 저 녀석이… 학교에선 모른 척하기로 해놓고선….
가! 당장 가지 못해?

슬비—!
맙소사
나가!
나가서 얘기해.
알았어,
밀지 마.

어떻게 된 거야?
슬비랑
무슨 관계지?
아아—!
여러분, 조용히—!
……

미안, 미안—.
급한 일 때문에
약속 어겼어.

그러니 1,500원만
빌려줘.
이자까지
계산해서 갚아.
탁
고마워.
나쁜 녀석!
집에 가서 봐!
그냥 안 둘 거야!
방
방
하하─.
기대할게.
다행이다.
걱정했는데….
역시 슬비야.
돈은 구했니?
그래.

이 정도면
충분해..
후후~.
무척 보고 싶은
영화였는데.
나도.
아까 그 애가
네가 늘상 얘기하던
쌍둥이 슬비니?
귀엽지?
에라이—!
누나더러
귀엽다니…,
이 버릇없는
놈아.
어어…
동생이라고?!
그래.
하하—,
너무 거짓말
같다.
너랑 그 애가
형제라니….
도… 동생….

정말 동생이니?
별로
밝히고 싶지 않은
인간관계야.
슬비 네가
한 살 많은 거니?
걔가 적은 거니?
아무리 봐도
안 닮았다.
둘 다 아냐.
우린 이란성
쌍둥이야.
어린 시절엔 사이가
정말 좋았는데 언제부턴지
나빠진 것 같아.
그건 푸르매 녀석이
뭐든지 안 지려고 해서
그런 걸 거야.
응
그래.
격투기를 배운 것만 해도 그래.
비리비리하던 녀석이
나보다 강해져야 한다며
떼를 써서 도장에 나갔지.
덕분에 나도 익히게 된 거지만…
그 얼마나 버릇없는 짓이냔 말이야.
누나를 앞지르겠다니, 발칙한….

애들아—,
위선자 온다!
자리에 앉아!
…….
조—용
문화제가 끝난 뒤 곧 기말고사가 있으니,
분위기에 휩쓸리지 말고 열심히 공부하도록.
특히 중간고사 성적이 나쁜 학생들은 주의해야 할 거야.
너구리 같은 눈알을 굴리며 내가 있나 없나만 살피면서 교실을 소란하게 선동하는 학생이 누군지!
앗! 어떻게 알았을까?
그에 동의하는 학생!
말똥
말똥
또 일요일만 되면 미팅하는 학생이 누군지 난 다 알아!
흥~. 설마 아시겠어?

알고 있었어.
네ㅅ-!
전진경—!
에…,
그, 그게
말하자면….
너는 부실장이면서
어찌 그 모양이냐?!
토요일 날 재봉실
청소 감독하랬더니,
네가 도망가?
'멋진 남성 Best 10'
만든 장본인도 너지?
그 열정으로 공부를 하면
전교 수석도 했겠다!
저…,
그게….

아마존의 후예여! 진실에 눈을 떠라

혼자 살자!

금주의 목표
인신매매·가정파괴범
박멸기간

우리에겐 배정된 강당 이용시간은 고작 1시간 30분뿐이란 말이지?

자고로 남자와 북어는 하루 세번 패야 한다.
-아마존-

남자 = 늑대
늑대 = 하등동물
∴남자 = 하등동물

'에버그린' 이라면
그…
서지원이라는….
이번 문화제에는
'에버그린'의
특별 공연이
예정되어
있어.
그 이상은
힘들다고 합니다.
소근
소근
아, 저…,
그리고….
…….
뭐라고?!
그런 녀석의 장난 구혼에
100명이 넘는 여학생이
응모했다고?
앞으로도 더 늘어날
추세라고?!
어… 어떻게
그런 일이…?!
쾅
이크…
화낼줄
알았다
어떻게 해서
그따위 하등동물에게
우롱당하는 여학생이
나오는 거야?

으으…,
우아아이…에
으아아오아
이으…아….
꿀꺽!
탁
여기 물….
용서할 수 없다!
하지만
에버그린은
위험해.
모두 한가락 하는
애들이라던데….
보디가드인
월향선 외에도
극성팬들이 많아.
그래
너무 위험해
여자를
우습게 아는
사고방식만
뜯어고쳐놓을
생각이니 걱정 마.

내가 할 일은
인간 이하의 남자들로부터
여자를 보호하는 것.
철새처럼
이 여자 저 여자
옮겨 다니는 미개족.
박멸 No. 3
제비
팟
박멸 No. 2
인신 매매범
팍
퍽
인간의 존엄성이라고는
아예 모르는,
살아갈 필요가 없는 야만족.
무지막지하게
폭력을 앞세우는
우악스런 원시족!
퍽
퍽
퍽
박멸 No 1
강도상해 · 가정 파괴범
그런 녀석들은 모두
내 손으로 단죄하겠어.
걸리기만 해봐라.
으드득

저 앤 정말
독신으로
살지도 몰라.
장미의
남성 혐오증은
끝이 없어.
그래.

이슬비.
2학년 7반.
현재 남자 친구는
없음.
서클은 배구부.
취미 뜨개질.
이런저런 무술을 섭렵했고
장래희망 현모양처.
좋아하는 음식
감자, 고구마.
성격 변화무쌍.
이상—!

참…, 장미,
며칠 전
TV에 나왔던
애에 대해서
조사해봤어.
그래?
읽어봐.

흠~.
무술 실력을 빼면
지극히 평범한 소녀로군.
하지만 평범 속에서
더 큰 힘이 나오는 법.

스카우트 하자!
그래!

힐끔
힐끔
예쁘지, 빨간 리본으로 머리 묶은 애 말이야.
한번 접근해볼까? 사귀고 싶은데.
백장미지?
사지가 멀쩡할 때 단념하지 그래.

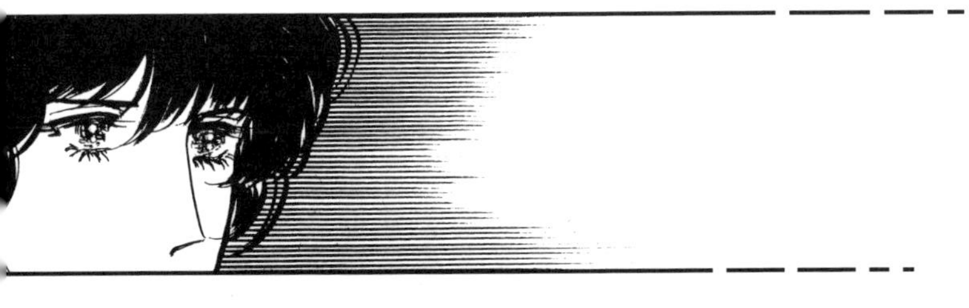

장미….

내게 잊을 수 없는
상처를 주고도
너는 아직 변함없는
그 모습이구나.

아. 자네군.
안 그래도
방금 다 고쳤네.
이 모델은 여간해서는
고장 나지 않는데,
어쩐 일이지?
콩닥칼
카메라
사진작가
지망생인가 봐.
그런 좋은 카메라를
갖고 있다니.
콩닥칼라
카메라
필름, 라이타
전자 제품
카메라
사용
나쁜 녀석.
사람이 말하는데
들은 척도 안 해?

응?
저 녀석들은….
발과 발사이
협찬: 네발 내발 양말 주식회사
미성년자 관람불가
주연: 왕 발현, 주양말
재미있었다. 나름대로 작품성 있는 것 같아.
난 별로. 19금 영화치고 별것 없더라.
씨익

그래, 이 장면을 놓칠 수야 없지. 마침 카메라도 있고….
이것이야말로 신의 계시가 아니고 무언가.
에이~, 시시해! 내가 여주인공이었으면 더 화끈하게 했을 텐데.
응?
키득
키득
저거, 조종인 아냐?
길바닥에서 히히덕거리며 뭐 하냐?
깜
짝
…월향선.

대낮에 오징어다리나 물고 다니다니…, 꼴불견이군.
가식적인 녀석.
질겅 질겅
그게 뭐가 문젠데?

흥! 정떨어지는 계집애 같으니….

그런 꼴로 아는 척하지 마. 내 품격에 지장 있으니.
호오~. 깡패들에게서 구해준 건 잊었나 봐. 내가 아니었으면 지금쯤 휠체어 신세였을 텐데?
시끄러워! 네가 데리고 있던 깡패란 것 다 알고 있어!

젠장….
힐끔…
헬끔..
잠깐!
지원 씨 신부감은
어떻게 되었어?
휙
응모자 125명 중
10명만 뽑았어.
기준은?

A
B
O
AB
일반적인
미의 기준이야.
거기에 지원 형과
어울릴 수 있는 성격을
내 나름대로 컴퓨터 점,
혈액형, 별자리,
사주 궁합으로
판단한 거야.
그래?
내 사진도
넣어야지.
이제까진
멋대로 놀았으니
이제 지원 형 일
네가 맡아.
건방진 녀석!
어디
한 번 볼까?
저 녀석이 고른
미인들….

우웩—!
모두 내 취미에
안 맞다.
sun hi
툭
뭐야,
10장 모두
맞는데?
발아래 떨어진
이 작은 사진의
정체는?
이건….

늘
푸른
이야기

휙
앗—,
뜨거!
이봐요!
잘 좀 보고 던져요!

…이왕에
내친 걸음.
지금, 우리보고
한 소리야?
그래요!
여기에 당신들밖에
누가 있나요?!

재, 되게
웃기는 애 아냐?
요즘 보기 드문
여자애야.
뭘 몰라도
한참 모르는군.

심심하던 차에
마침 잘됐군.
너 이리 와봐!
아야—!
이거 놔욧!

우리가
누군지 몰라?
우리랑 놀자
이건가?
꺄
야
이곳의 터줏대감
땡칠파를 건드리다니….
그래, 어디 그 소감 좀
들어볼까?
손 좀 봐줘.

꽉
으악—!
퍽
건방진
계집애 같으니….
곱게 봐주려 했더니….
넌 한번 혼날 필요가
있겠다. 따라 와.
도와주세요—!
저런,
저거….
신경 쓰지 말고
어서 가요.

좀 가면
좋은 데가 있어.
앙탈하지 마!
꺄아
싫어!
시끄러워!
너네 일 아니니
상관 마!
수군
수군
난 좀 상관하고
싶은데?

싫다는데
그 손 놔주지 그래?

이건 또 뭐냐?
난 사람이야. 넌 쓰레기고. 맞지?
툭
이 콩알만 한 계집애가—!!
빠…, 빠르…다….

음….
대충 하고 가야겠군.
수업 시간에 늦겠어.

덤비려면 한꺼번에 덤벼,
시간 없으니까.
뜨
끔

뭐야!
힘도 없는 것들이….
빨리 가자,
빨리….

고맙습니다.
푸른고교 배지를 달고 계시네요. 저도 같은 학교인데.
…….
귀엽게 생긴 애로구나. 앞으로 저런 녀석 조심해.
네, 네…. 저….

아…, 저…,
성함이라도….
아…,
너무 근사하다.
내가 동경하는
여성상이다.
2학년 전교 석차
문과
1 2 3 4 5 6 7 8 9 10
이병호(4반) 김선희(10) 백장미(11) 최재성(6) 이석우(5) 소원용(4) 서정학(5) 이미경(12) 서애자(11) 고리라(12)
이과
1 2 3 4 5 6 7 8 9 10
이푸르매(7반) 조종인(1) 장은경(9) 하빈(1) 오리발(3) 박쥬경(8) 전진경(7) 이미경(9) 고도리(3) 태현선(7)
웅성
웅성

슬비…, 또 네 동생이
전교 1등이야.
난 전교 7등이고,
반에선 1등.
난 전교 10등,
반에선 2등.
나와 다른 차원의
이야기를
하지 말아줘.
성적표
2-7 이슬비
58 등
전체석차 331명중
(이과) 320등
슬비—,
담임선생님이
너 좀 보재.
헉
이슬비.
넌 도대체 학교엔
뭐 하러 오니?
공부 좀 하면
누가 잡아먹어?!
나쁜 아이 같으니라고!
공부 좀 해!!
터덜
터덜

죽음에 이르는 병
어서 와, 누나.
왜 그래?
오늘 또 무슨 일 있었어?

엉?
쓰윽
왜 그러냐니까?
뭐라고
말 좀 해봐.
누가 괴롭혔어?
내가 당장….
…푸르매….

난…,
나 같은 건
죽어버려야 해.
아니—, 뭐라고?!
도대체 왜 그런….
이봐—!
정신 차리라고,
슬비!

학교에서… 흑~,
공부 못한다고
선생님이… 막 괄시하고,
아이들은 비웃고…,
같이 놀자니까 놀아주지도 않고…,
반찬도 저희들끼리만 나눠먹고….
흑
흑
훌쩍
에이~,
설마.

푸르매,
너 이번에도
전교 1등이라며?
응!
시험 치기 전에
노는 시간에
공부한 덕인가 봐.

세상은 너무 불공평한가 봐.
난 밤샘하면서 했는데도
반에서 58등인데…
넌 시험 전 쉬는 시간에
잠시 한 것뿐이라고?
영어는 40점
수학은 20점
58등?!

저—,
누나 반 인원수가
58명이지?
응.

꼬…

꼴찌…!!

누난 수업 시간에
도대체
뭐 하는 거야?!
잠 자.
땡칠이
뭐야?!
나도 나름대로
열심히 하려고
애썼단 말이야!
왜…
비싼 수업료
내고….
안 자려고 안 자려고 해도
수업 시간이면 어김없이
파죽지세로 잠이 휘몰아오고,
노는 시간에야 눈이 떠지고,
지각도 안 하려고 그러는데
만날 늦고….
난 정말
살아갈 필요가 없는
인간인가 봐.

…너무
비관하지 마, 슬비.
슬비에게도
어떤 장점이….
어떤 위로도 소용없어.
네가 내 마음을
알 턱이 없다고.
난 이미 인생의 낙오자가
된 기분이야.
그래, 이런 것을
절망이라고 하나 봐.
하지만 누나,
절망을 딛고 일어서는
사람만이
진짜 성공을 한대.
아냐.
난 절망의 절망.
아니, 다시는 재기할 수 없는
그런 무서운 절망을 한 거야.

툭!
절망이란
죽음에 이르는 병
-키에르 케고르-
아아…,
불쌍한 슬비….

찰칵
애들이 벌써
왔나 보네.
슬비야, 푸르매—,
너희들이 좋아하는
만두 사 왔다.
어서 먹자.
만두?
엄마, 진짜야?
그래,
따끈할 때
먹어야 맛있지.
아웅
먼저 내가 하나 먹고
상한 건지 안 상한 건지
봐야겠다.

누,
누나!
이야—,
신난다!
으...
저.
저렁수가
....

슬비는
야채만두가 너무 맛있어서
모든 걸 잊어버렸다.

고도리
5
후후…
한참 찾았지

꺄
아
아
우 와ㅡ
그것도
여자애가….
맨손으로
공을 잡았어!
또 저 언니가
나를 구해준 거야.

우~와~! 굉장한 위력이다.
도저히 여자애의 힘이라고 볼 수 없어.

와아
역시
굉장해
굉장해
휙

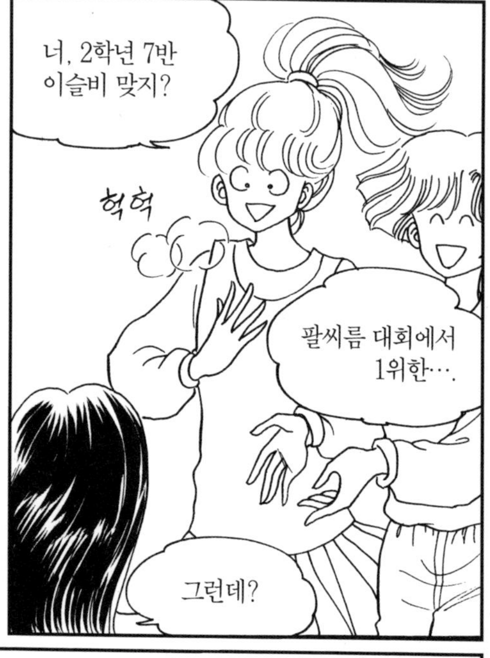
너, 2학년 7반
이슬비 맞지?
헉헉
팔씨름 대회에서
1위한….
그런데?

거기, 잠깐
기다려줘!
우루루
잠깐만,
이슬비!

축하합니다!
이번 주 '멋진 남성 BEST 10'에
슬비 양이 랭크되었습니다.
팅
으~~

이것 봐!
난 여자야!!

남성을
능가하는 힘을
갖고 있는데….
상관없어.
그래.
취재를 부탁해요!
팔씨름 대회에
참가하는 게 아니었는데,
상품에 눈이 어두워….

잠깐만―!
휙
사진이라도…!

흥이어~
우—
언니—.
취재를 해야 하는데 어쩌지?
그냥 가버리네.
왜 저러지?
괜찮아. 이슬비에 대해선 내가 알고 있으니까.
아, 태현선~. 슬비랑 한반이랬지.

슬프다….
내 장래희망은 현모양처.
아주 평범하고 소박한 꿈을
갖고 있는 소녀.

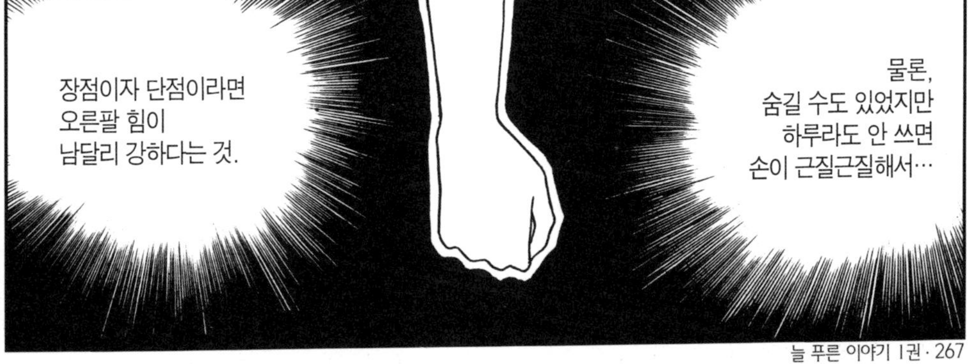
장점이자 단점이라면
오른팔 힘이
남달리 강하다는 것.
물론,
숨길 수도 있었지만
하루라도 안 쓰면
손이 근질근질해서…

퍽
견딜 수가 없어!
저주받은 운명의 손 같으니라고…!!
뿌지직

와아!
짝짝!
짝짝!
짝짝!
핫
또 뭐야
21세기 꿈나무
강한 미래형 여성
이슬비
펑
역시 멋있군.
짝
짝
짝

이슬비.
너에 대한 얘기는
무척 많이 들었어.
진작 찾아왔어야
하는 건데….
저 애는
전에 지각 직전에
같이 달리던….
슬비,
우리 아마존클럽에
가입하지 않겠니?
덥
썩
아…
아마존?
아마존이라면
여학생만 받는
동아리 아냐?
중얼
중얼
남성 불신자들이
많이 가입한다는…,
그… 그래서
독신주의자가
많다는….
나… 나는
그다지 남자애들에게
적의감도 없고…,
아빠도 동생도
남자고…,
이유 없이 남자애와
싸우고 싶지 않아.

아마존이 아무나
들 수 있는 곳인 줄 아나?
특별히 넣어주려니까.
잠깐….
너의 말에도
일리는 있어.
하지만
한 면만 보고 판단하고
비방하는 게 슬퍼.

민주주의의 시작인
고대 아테네에서도
여자와 노예에겐
투표권이 없었다는 걸
너도 알지?
그래.
그건 정말
너무했어!
투표
남자 = 사람
여자
노예] 사람이 아니다.
지금도 그때와 그리
다르지 않다는 생각은
해본 적 없니?
뭐?
많은 여자들이
단지 여자라는
이유만으로
아무 잘못없이
당하는 걸
많이 봐왔어.
강간, 납치, 폭행,
온갖 사회적인
차별 대우….
그런 사회악들의
가장 큰 희생자는
여자들이었지.

권력을 이용한 성범죄…,
돈을 위해 여자의 인생을
송두리째 파멸시키는
인신 매매….
그런 짓을 저지르고도
법망을 피해 빠져나가
또 다른 희생자를 노리는
천벌받을 놈들.
그 모든 것을 알면서도
눈 감고 입으로만
정의니 법치니 떠들어대는
파렴치한들이 이 세상을
당당하게 활보하고 있지.

억울한 희생자임에도
오히려 당한 여자가
손가락질 받는 세상!
죄인을 처벌해야 할 경찰조차
네가 그럴 만한 행동을
먼저 한 거 아니냐 따위의
개소리를 해대는 세상!!
여자라는 것
때문에,
처절하게 사는
경우가 얼마나
많은지….

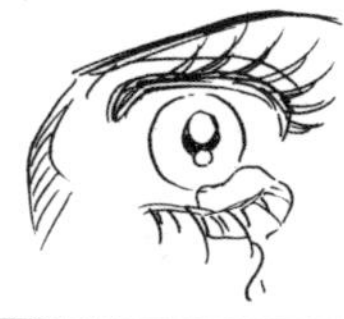
…왜…?

왜 그래야만
하는 거지?!
여자는 오락기구가 아니야!
같은 인간이란 말이야!!
흑흑
엄마
뜨끔

우리 아마존은
모든 남자들을 배척하는
모임이 아니라
짐승만도 못한 자들,
살아갈 가치가 없는
하등동물들을 단죄하기
위한 모임이야.

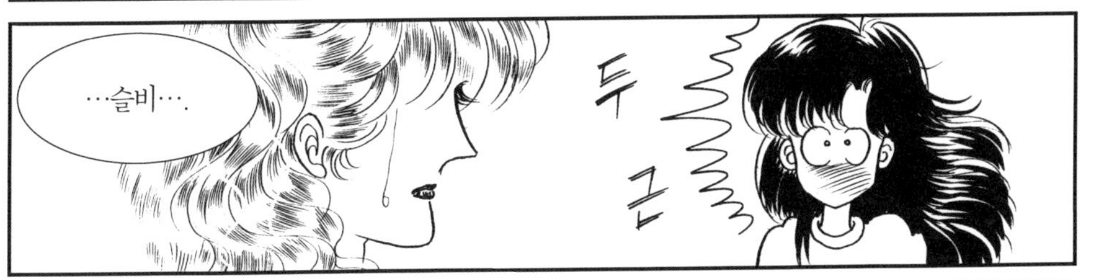
…슬비….
두근

우리에겐
너의 힘이 필요해!
우리에게
힘이 되어줘!
정의사회
구현을 위해
함께 뛰어줘!!

찌잉~
좋… 좋아….
아마존에 들겠어.
그래서 여자의 행복을
지키는 데
청춘을 바치고 싶어.
고마워,
슬비.
와~
짝짝
짝
짝
백장미의 연기력은
역시 일류야.
와락~
저 언니
아마존클럽에
들었나 봐.
그래, 지금이
기회다.

저….
화끈-
저… 저도
아마존클럽에
가입하고 싶은데요.
뭐?
1학년 아냐?
먼저
자기 소개.
1학년 12반
조미경입니다.
별명은
비둘기고요.

아…, 저, 저도
강인한 여성이
되고 싶어요.
이슬비 언니처럼요.
아마존은
어느 정도 무력이
있어야 하는데….
부탁이에요!
꼭 들게 해주세요!
전 아마존클럽에
들려고 입학 초부터
결심하고 있었어요!!
박력… 보기만 다르다 그지?
응
이건
거짓말인데….
…….

좋아, 합격!
와아—! 고마워요, 언니.
같은 서클이라 기뻐요.
장미, 오늘은 회식 하자.
좋아. 신입생이 2명이나 들어왔으니….
뭐야… 이건
와락
떼굴 르르르!

2－7
슬비 언니
있습니까?
귀여운 1학년
아냐.
슬비야, 면회다.
음…
역시
반찬은
총각김치가
최고야
와그작
와그작
남들 눈이 있으니
놓고 얘기해.
와
슬비 언니♡
오늘 수업 마치고
서클 모임에
참석하래요.
연극부로
우리 같이 가요.
그래.

어쩜…
언제나 저렇게
책을…
조종인이야.
패스—!
여—!
푸르매 막아!
마이 볼!

후훗~.
마음껏 즐기거라.
좀 있으면 지옥이
네 앞에 열리리라.
네 죄는 네가 알겠지?
뭐지?
선생님,
이걸….
아… 아니,
이건–?!
후후후후

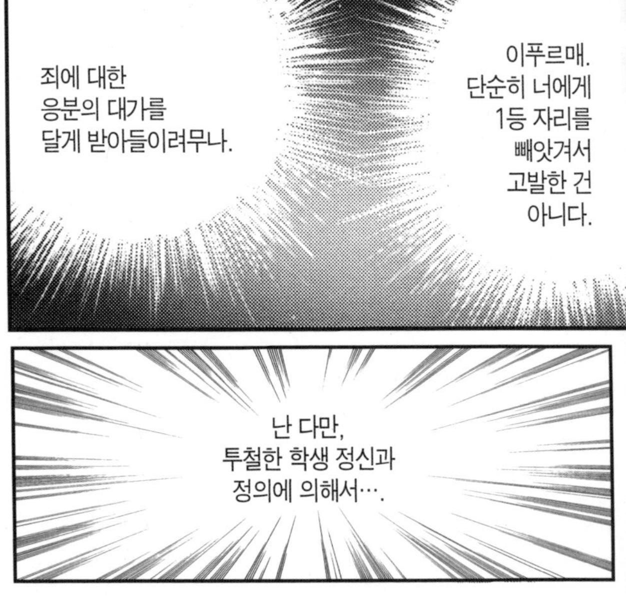
이푸르매.
단순히 너에게
1등 자리를
빼앗겨서
고발한 건
아니다.
죄에 대한
응분의 대가를
달게 받아들이려무나.
난 다만,
투철한 학생 정신과
정의에 의해서….

뚝

물론 그날 국어 시험 때,
좀 더 버티고 있었으면
내가 1등 했을지도 모르지.
네 녀석의 고차원적인
계략이었어.
내 마음을
교란시키다니…,
간교한 책략가.
넌 나보다
백배 천배 더
나쁜 녀석이야.

양의 탈을 쓴 늑대,
천사의 가면을 쓴 악마다.
난 너에 비하면
성 프란체스코보다
더 순결하고 청빈하다.
그래, 나처럼 단련되고
정화된 마음속에는
불결한 것이나 부패가
깃들 여지가 없지.

그러니,
죄의식 또한 느낄 필요가
전혀 없다.

오…
오해입니다,
선생님.
네.
저, 저희가 어떻게
미성년자 관람불가
영화를….
탕
이 녀석들아!
여기 이렇게 증거가
엄연히 있는데도
계속 거짓말을 해?!
핫!
우, 우리들 사진이다.
누… 누가 찍었을까?
무서운 세상이다!!
아이고~.
어젯밤 꿈자리가
사납더니.
학교에서
이런 데 가라고
가르쳐주더냐?
…죄송합니다, 선생님.
제가 혁진이를
유혹해서….
벌을 주시려면
저에게만….
아… 아닙니다,
선생님.
푸르매를 말릴 수도
있었는데….

시끄러워! 무릎 꿇고 손들어! 정말 실망했다!
모범생인 척하면서 뒤로 호박씨를 까?!
나쁜 녀석들. 내가 그냥 넘어갈 줄 알아!
1년 동안 두고두고 벌 줄 거다.
푸르매랑 혁진이잖아. 웬일이지?
19금 영화를 봤대.
별일이네. 김광수 쌤, 언제나 푸르매 칭찬만 하더니….
엥? 저 녀석이?
〈발과 발 사이〉 봤다더라.
나도 그 영화 봤는데…. 사람은 자고로 증거를 남기면 안 돼.
그래, 놀 건 다 놀아, 항상.
공부만 파는 줄 알았는데 그게 아닌가 봐?

뚝
뚝
뚝
뚝
뚝
뚝
아무도 없나?
드르륵!
모임이 있다더니
잘못 알았나?

언니, 저기 쪽지가….
그래.
옷이나 좀 놓지
아마존 클럽 모임.
내일로 연기했으니
모두들 착오 없으시기
바랍니다.
-백장미-
에이! 연락도 없이 이게 뭐야. 가요, 언니.
그래.
왜 그래요?
무슨 소리가 들린 것 같아.

조용!

잘못 들었나?
아무 소리도
안 들리는데요?
…려… 주….
분명 들리지?
소리가…!
저쪽 문 안에서
들리는 것
같아요.
녹이 슬었나 봐.
잘 안 되는…,
덜컥
덜컥
삐이
아—, 열렸다!

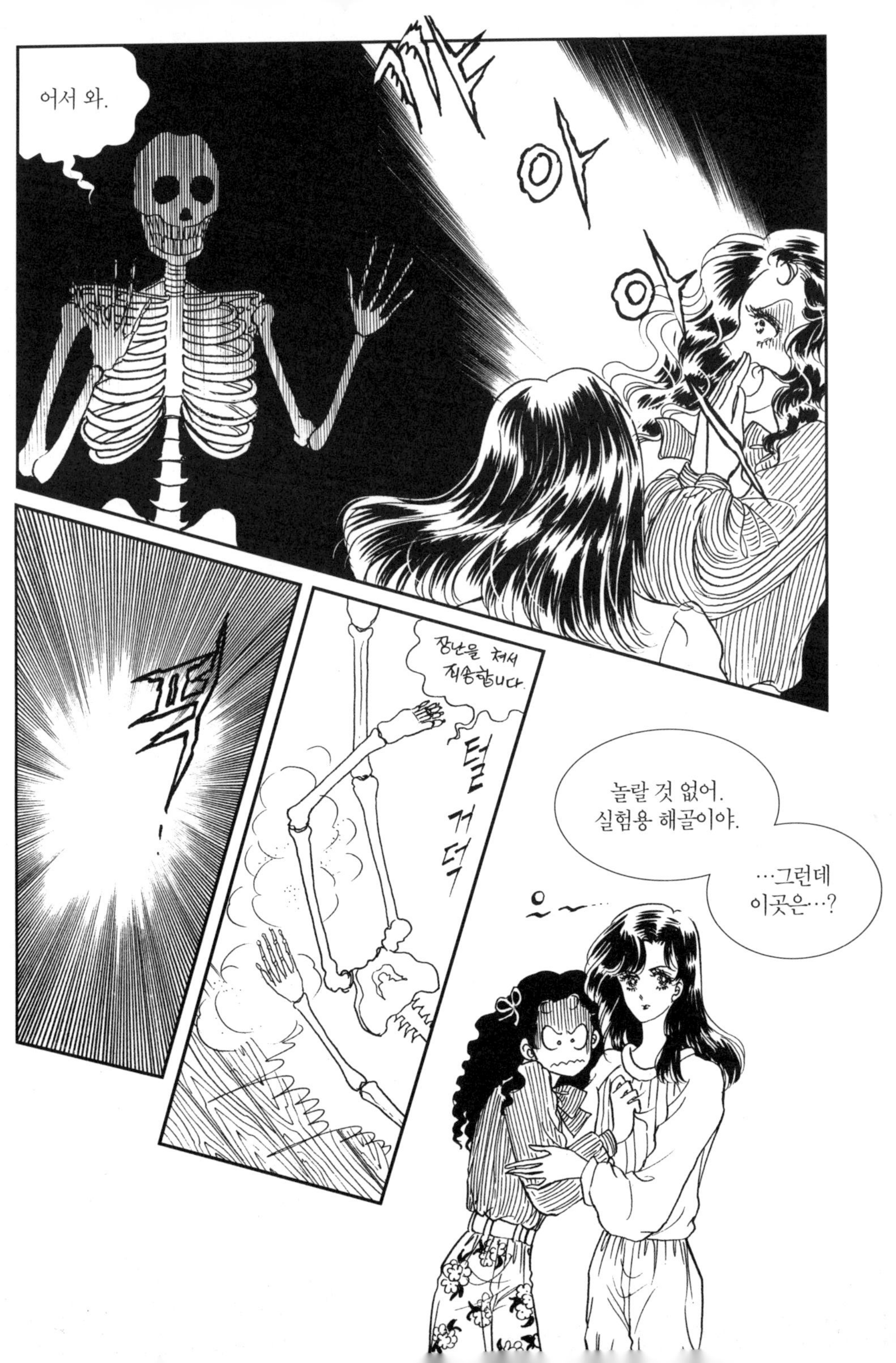
어서 와.
꺄
아
악
퍽
장난을 쳐서 죄송합니다.
털
거덕
놀랄 것 없어. 실험용 해골이야.
…그런데 이곳은…?
으~

무서워요,
언니~.
괜찮아.
소도구실
같은데.

저 안쪽에서
소리가 나요.

좁은 곳에
온갖 잡동사니가
많기도 하다.

꺄아~!
언니—!

소리 좀 지르지 마.
네 소리에
내가 더 놀라겠다.
도대체 뭘 보고….

핫!—!
뚜… 뚜껑이
움직여요.
괜찮아, 괜찮아.
모두 무대용이야.
으 으 ~...

끼 기
뚜껑이 움직여?
끼
기

으
으

도… 와…
주… 세….
으으…,
조금 무섭다.
누구야.
왜 이런 장난을…
하는 거야.

어… 언니,
가지 말아요.
좋아!

언니.
끼이익
이봐요,
정신차려요!
……
일…주일….

일주일… 간
갇혀… 있었어.
일주일?
언니,
우선 이 관에서
나오도록
해야겠어요.
고마워요.
도대체
누가 이런 짓을
했지요?
두 사람이…
아니었…으면
난… 죽었을
거…야.
장미?
장미…라는
…애를 아니?

백장미 말인가요? 아마존클럽의 회장?
그래, 그 앤 정신이 이상해.
너도 어서 도망가는 게 좋을 거야.
에이—, 그럴 리가. 그 애는 예쁘고 총명한….
그래요. 그 언닌 알아주는 모범생인걸요?
너희들이 잘 몰라서 하는 말이야.
평소에 이중적인 모습을 본 적 없니? 조금 성격파탄자 같은….
그 앤 언니가 불행하게 죽은 후 이상해졌어. 심한 남성혐오증이 생겨 자기 계획을 방해하거나 잘못을 저지른 남자는 모조리 지하에 가두어 굶겨 죽인대.
하지만 난 정말 아무 잘못 없어. 그 애 언니의 친구였던 죄밖에는….

가두어….
굶겨 죽여?
움
싹!!

사람을 굶겨 죽이다니!!
그럴수가—! 나쁜 계집애 같으니라고!

하루가 뭐니?
난 한 끼만 굶어도 돌맹이까지 먹을 거로 보이더라.
그래요.
전 하루만 굶어도 괴로워 미칠 지경이던데….

정말 내버려둘 일이
아니야.
당장 경찰서에
연락해야겠어.
그것도 중요하지만,
이곳을 빠져나가는 게
급선무야.
장미 그 앤
무서운 아이야.
잡히기만 하면
나처럼 무서운
보복을 받게 돼.

보복?

나도 몇 발짝
움직이지 못하고 잡혀
지금 이 신세가 된 거야.
일주일째 아무것도
못 먹고.

그 앤 사람 굶기는 게 취미야.
그리고 너도 한번 여기
발을 들인 이상 못 벗어날 거야.
아마존은… 무서운 단체야.
어쩐지
들고 싶지
않더라.
언니~, 어떡해요.
무서워요.
으~
엉엉

어떡하긴,
싸워야지!
나쁜 계집애!
아아…,
멋있다.
감!
두근
정의

이건 또 뭐야?
늦었어.
백장미가 온 거야.
저 소리는 백장미의
전령 소리야.

찍
찍
찍
으응?
이 소리는….

까아아~!
언니, 쥐예요!
찍
찍
아잉 놀자…
찍
찍
찍
놀자
찍
찍…

찌이익─!
같이 놀자는데
뭘 그리 놀라나?

더러워, 에잇!!
가까이
오지 마!!
날려

방
헉 헉
언니—! 왼쪽에도 있어요!
앗! 발밑에서도 한 마리가….
찍
찍
본의 아니게 쥐를 너무 살찌웠어요.
와—.
다 죽였다 앗싸!

언니,
너무 멋있었어요.
꺄아---
그래, 정말
잘 싸운다.
쉿—!
누가 오고 있어.

저벅
저벅
저벅
저벅
저벅

저벅

네
네
비둘기,
물러나 있어.

붕
뭐야!
너희들은 누구야?
말로 해!

열 셀 동안
말 안 하면
때려눕히겠어!

하나!
둘!
셋!
넷!

다섯!

슬비 언니—.

열!
도저히
못 참겠다

왜 때려!
가만히 있는 사람을
왜 함부로
치느냔 말이야!

언니,
여기 손수건.
장난이 아니야.
모두 살수를 쓰고 있어.
제기랄~, 도대체
어떻게 된 거지?

꺄아-!
언니 뒤에…!

슬비 언니.
아…,
맞는 모습도
너무 근사하다!

아니지. 지금 내가
감탄할 때가 아니야.
언니를 구해야 해.
슬비 언니를
놔둬!
어딜—.
이것들이 정말?
좋아!

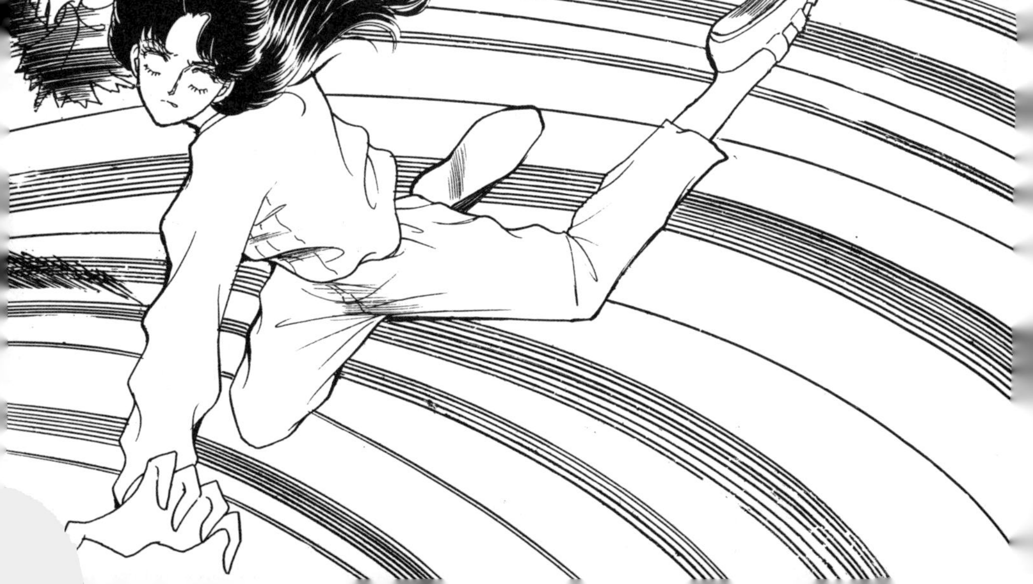

역시
너희들이….
설마설마
했는데….
백장미, 어디 있어?!
나와! 비겁하게
숨어 있지 말고!
너 따위는
조금도
무섭지 않아!
이 정신병자야!

저벅
백장미 나와?
신입회원 주제에
건방지기 이를 데
없군.

신입회원이라고?
누가 이따위 서클에 든대? 당장 부숴버릴 테다!
부순다고?
그 우둔한 주먹 하나만 믿고 큰소리치다니….
닥쳐!
어딜―!

과… 과연
굉장한 주먹이야.
아슬아슬….

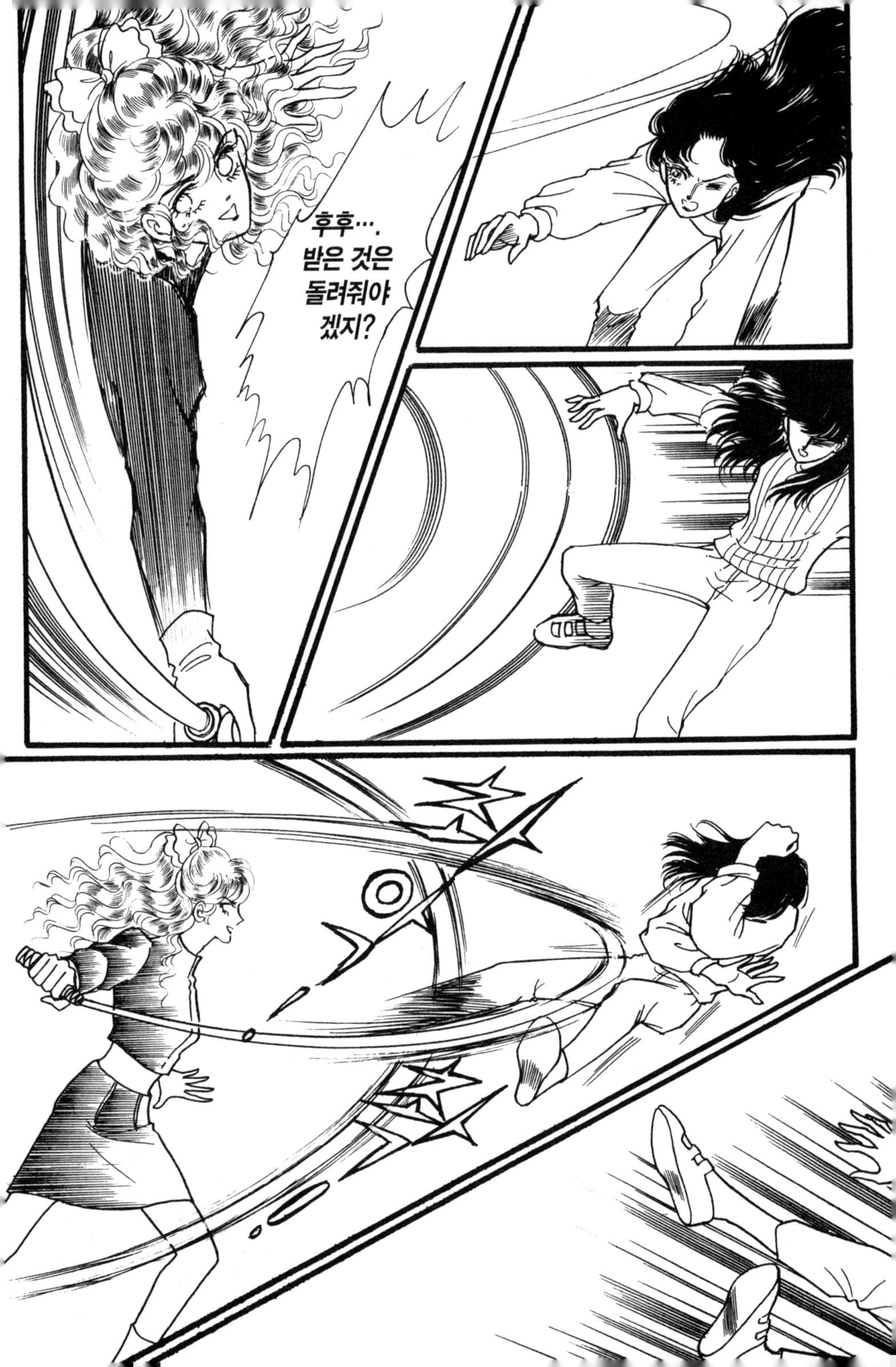
후후….
받은 것은
돌려줘야
겠지?

잘못?
내가 뭘
잘못한 게 있지?
이런 미치광이 서클—
산산조각 내주겠다.
이슬비.
지금이라도 잘못을
빌고 날 따르면
용서해주겠다.

무서운 스피드,
그리고 파워….
오히려 월향선을
능가할지도….
아이고~,
아파라.
어때?
너야말로 굴복하고
잘못을 빌어라.
내가?
딱

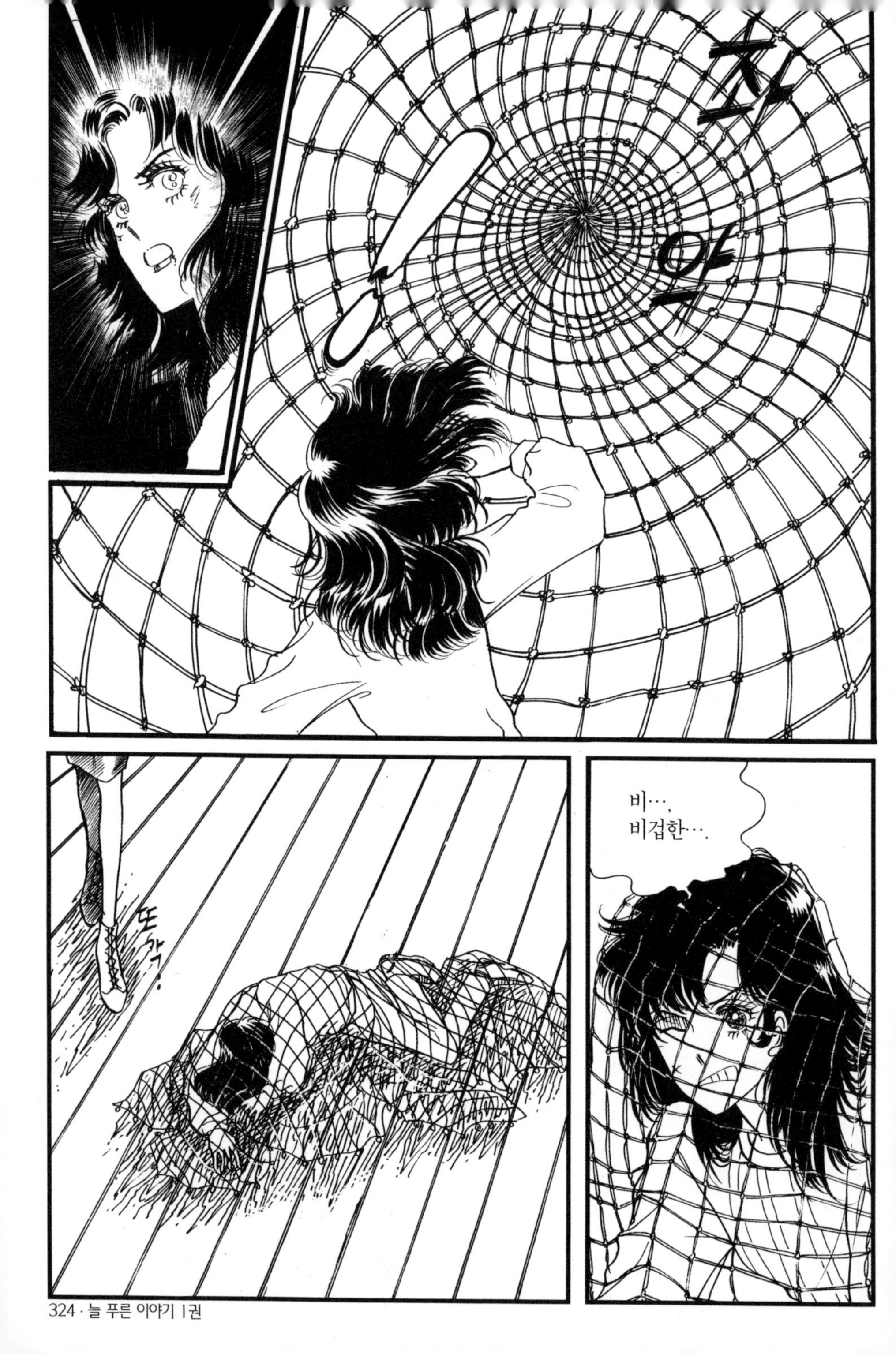
챠
앗
또각!
비…,
비겁한….

그런 건 비겁하다고 표현하는 게 아니란다, 아가야. 네가 어리석었던 것이지.
으~
어…, 언니….

이제 굴복하겠는가?
내 일에만 협조하면 목숨만은 살려주지.

싫어!
넌 죽어서 지옥 갈 거야! 난 천당 갈 거고!

호…, 그래?
사후의 천당을 위한 투쟁이라…. 역시 어리석군.
만지지 마!

좋아!
너는 이제부터
죽을 때까지
굶을 것이다.
서서히…
서서히…
죽음의 공포를
맛보거라.
묶어라!
네!
으~. 이 세상에서
제일 나쁜 여자애.
사람을
아사시키려 들다니….
난 굶는 건 싫다.
차라리 지금 당장
어떻게 해다오.
죽는것보다 굶는것이 더 공포스러운 슬비
언니!
가엾은 슬비.
너를 이렇게까진
하고 싶지
않았는데….
시끄럽다!

하지만 어쩔 수 없어.
내 일을 방해하는 자는
누구도 용서할 수 없어.
내 운명은 이 세상의 모든 남자.
그… 추악한 인간들을
제거하는 것.
나를 이렇게 만든 것은 그들.
나의 이 불타는 복수는
어느 누구도 막을 수가 없어!

세월이 지난 언젠가
후회할 날이 오더라도
나는…, 나…는….
복수를 하고야
말겠어!
와!
짝 짝 짝
끙
깜짝

장미!
대단한 연기야!!
짝 짝 짝
정말?

응.
이번 문화제 때
공연하면
대인기를
끌 것 같아.
웅성
수고했어,
모두들.
웅성

장미,
우리 또
회식 갖자.
그래.
길 건너
떡볶이 집이
맛있다고
소문났어.
어… 어떻게
된 거지요,
언니?
나도 몰라.

슬비ㅡ,
너도 일어서.
수고했어, 정말.
어떻게
된 일이지?

이번 추계예술제를
위한 연극이었어.
너희 두 신입생을
위해 특별히
공연한 거지.
사실 나는
남자가 아냐.
이 피도
분장용 물감이야.

쥐는?
장난감이야.
귀엽지?
모두 연극을 위한
소품이야.

어머!
진짜 장난감 쥐네.
귀엽다.
그렇지?

자, 오늘 연습
모두 끝났으니
식사하러 가자.
난 1,000원짜리
자장면 먹을래.

슬비,
너도 가자.

싫어, 안 가!
탁

뭐야, 뭐.
연극이라고?
천사 같은 얼굴을
하고선 사람을
가지고 놀아?!
…….

슬비 언니—!
같이 가요!
뭐?
연약한 여성을 위한
선의의 클럽?
순 싸움패 집단
같으니라고.
제길!
연극이라면서
잘도 날 두들겨 팼지.
이젠 죽어도 같이 안 논다.

터덜
터덜
터덜
터덜
……….
너무나 피곤해서
말할 기력도 없어.
딩동!
딩동!
딩동

뭐라구요?!

생각이
바뀌었어.
결혼하지 말고
귀여운 고양이랑
같이 살기로 했어.
예쁘지?
미국서 사는 고모님이
보내주신 거야.
야웅…
으음….

기뻐해야 할지,
슬퍼해야 할지….
하하하—.
어서 내려오지 못해?
간지러워.
냐아옹
저렇게나
좋아하다니….

지원 형,
앨범 나왔어요.
서지원 제 4 집
앨범?
참….
지원 형 신부감은 어떻게 됐어?
질겅 질겅
나도 몰라.
흥! 이젠 얼굴까지 오징어귀신으로 보이는군. 정말 정떨어지는 계집애야.
그럼 전 이만 가볼게요, 형.
벌써 네 번째 앨범인가…?
…….
여전히 나를 무시하는군.
흠
질겅 질겅

시간이란 참 빠르기도 하지.
첫 번째 앨범 내던 때가 엊그제 같은데, 벌써 네 번째라니….
…그래. 첫 번째 앨범….
왜 그래?
찌익
상아를 한동안 잊고 있었어.

아… 지원 씨,
볼일이 생각났어.
이만 갈게.
이상하다
왜 안 오는 걸까?
연락도 안 되고….
낑…
탁
백상아—.
잊은 줄 알았는데
아직 기억하고
있었어?

상아.
그때 내 음반을
고르고 있었지.
그땐 나도
장난삼아서….

지금
날개 돋힌 듯이
팔리고 있대, 얘!
그래?
이 광조.
베에토벤.
나나 무스꾸리.

상아야,
백상아.
다 골랐니?
으응,
그래….
맛 사랑
MATSARANG.
맛사랑
국수
만두
전문 체인점
뚜벅
보글 보글 오락실…
약.

왜 자꾸
따라오는 거죠?
음반 고르면서
무척 우울한 것
같아서….
남이야
우울하든 말든
상관 마세요!
서지원을
좋아하시는
건가요?
아니에요!
누가 그런
불한당, 무신경,
석고 같은 사람을
좋아한대요?
게다가
답장이란 낱말도
모르는 걸 보니,
되게 무식한 사람일
거예요.

받기만 하고 보낼 줄은 모르는 그런 사람, 강도보다 더 나쁜 사람이니 감옥에 가야 한다구요.
호… 그래요
편지 좀 쓰면 누가 잡아가나 뭐! 난 암만 써도 괜찮더라. 오히려 체신청에서 상 준다고 난리던데.
특급 죄인
나쁜 사람. 난 100통 보내면 자기는 0통이고, 난 시간 나면 쓰고, 잠 자다가도 쓰고, 밥 먹다가도 또 쓰는데,
……
에이~. 이번에는 저주문이나 보낼까 보다.
상아…, 백상아라고…?
이봐, 혜자—.
나에게 온 팬레터 있으면 모두 갖다줘.

으윽—.
이렇게 많아?
웬일이지?
편지를
다 보겠다니….
와르르
POST
그렇게 해서 알게 된
소녀였는데….
야옹…

소식이 끊어진 지도 어느새 1년….
지금은 뭘 하고 있을까?

슬비, 너 오늘 시간 있니?
2-7
왜?
응, 미팅 건수 올렸다. 성문고교 어때?
그래, 가자. 아마존은 탈퇴했으니 시간은 많아.
잘하면 멋진 남학생 건질 수도 있어.

그래?

응, 아마 그때 일 때문인 것 같아.
소심하고 한심한 계집애야, 장미. 연연해하지 말고 퇴부시켜버려.
그러나 어렵게 스카우트한 먹인데….
비둘기. 넌 지금까지 아무런 특기도 보여주지 않았어.
이번엔 너의 숨겨진 실력을 보여주기 바라.
어…, 어떻게요, 회장님?
아무튼 슬비가 아마존을 찾게 해야 하거든? 우선 오늘 미팅 방해부터 해봐.

안 돼요. 미움받기 싫은 걸요.
변장하면 되잖아?
남자 친구가 있는 사람은 회원 자격이 없어.
으음…. 슬비 언니가 없는 아마존은 달걀 프라이 없는 오므라이스일 뿐이야.
좋아요! 저도 슬비 언니에게 남자 친구가 생기는 것 원치 않아요. 해볼게요!
여기가 백장미가 잘 다니는 길목이야. 현재 B.F는 1명도 없으니 잘하면 될 거야.
뭐라고 적었니? 좀 보자.
안 돼!

앗—! 상록아,
저기 장미가
오고 있어.
그래,
어서 전해줘.
덤으로 우리도
아마존 회원과
연결됐음 좋겠다.
후룩
후룩

예쁜 애가 본다.
웃자.
척
척
화끈
어서
안 전해주고
뭘 해?
아… 안 돼.
갑자기
떨려서….
밤새도록
편지 쓰다가
지각해서 맞은 게
분하지도 않아?

푸르매,
네가 내 대신 좀
갖다줄 수 없니?
뭐?

시… 싫어.
여자에게 먼저
말을 걸다니
어, 어떻게….

상록이가
불쌍하지도 않니?
1년 동안이나
상사병으로
앓았다잖아.
그래, 이 기회에
너의 미모를 시험해봐!
또 아냐? 너처럼 잘생긴 애가
주면 받을지도….
푸르매,
너 평소에
'Best 10' 든 걸
우리에게 늘
과시했었지?
장미는 나도 좋아해.
다같이 그 애랑
놀자. 응?
고마워,
모두들.
푸르매, 잘 부탁한다.
대신 100원씩 모아
쫄면 사줄게.
첵
저어—.
소문대로
예쁜 애군,
이거….

저기 저쪽의 친구가 보내는 거야.
편지.
장미는 좋겠다. 잘생긴 애가 편지도 주고….
나도 연애편지라는 거 한번 받아봤으면….
찌이익
이런 쓰레기는 내 손을 거치지 않고 바로 쓰레기통 속에 넣는 것이 좋지 않아요?

유유상종
이라더니….
애들아,
가자.

백장미랑
결혼하겠다는
황당무계한 꿈,
꾸지도 마라.
아아…, 글렀어.
역시 소문대로
냉정하구나.
가시 돋친 장미.
이번엔 내가
도전해봐야지.
CAR POD
POD CAC.
ALLEN ST CA
ADMIT ONE
아냐, 내 진심을
알아줄 때까지
절대 포기하지
않겠어.
…….

COFFEE
어서
오세요—.
또각…
또각…

저는 미팅은
처음이에요.

저…, 그러니까.

아…,
뭐라고
하셨죠?
아무것도
아니에요.

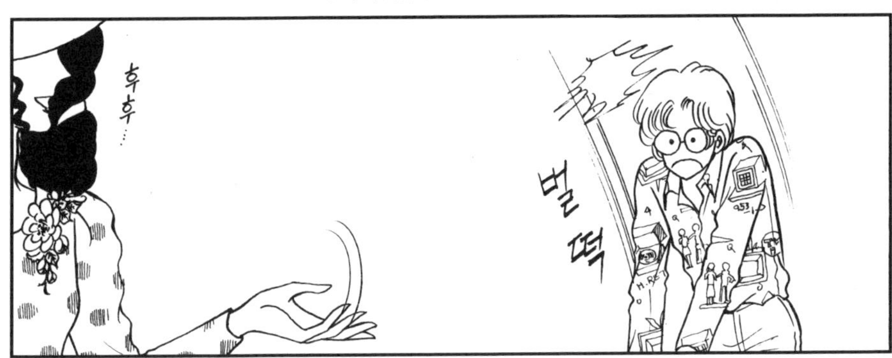
후후…
벌떡

쨍
아아
아…,
죄송….

저 먼저
실례하겠어요.
아…,
저….
또각!
여기 앉아도
되겠습니까?
예….
아…, 예,
예….
아까부터 계속
절 바라보셨죠?
하긴… 못생긴 여자랑
같이 있다 보면
언제나 한눈팔기
마련이죠.
욱 욱
혼자이신가
보지요?

두 번 다시
미팅 같은 거
하자고만 해봐라.
절교장을 띄울 거다.
가십시오—.
깨끗하군.
호
비둘기, 1학년이
제법인데?
정말.
학교
다녀왔습니다—.
늦었구나.
어서 씻고 식사하렴.
푸르매도 지금 먹고
있단다.
투덜
투덜
?
너도
안 좋은 일 있니?
푸르매도 잔뜩
찌푸려 있는데….
남매가 약속이라도
했나?

미인박명이란 말에
누난 해당 안 되니
오래 살 거야.
오래 살고 싶지
않아요.
화낼 필요 없어.
나쁜 말은 아니잖아.
나도 미인은 싫어.
차라리 누나가
100배 낫다구.
저게!
뭐야,
저 녀석…?
에이~,
신경질 나!
와구
와구

뭐 하시는 거예요,
아버지?
……
이젠 잊을 때도
됐잖니?
상아 방은 그만
정리하지꾸나.

상아 언니….
언니에 대한
기억을 지우라고…?
이렇듯 언니의 고통을
이해하지 못한 채로….
TIMES
NEWS
HAPPY
MARRIO
REPOT
1
REPOT

언니가… 잊혀져야 한다고?!

상아의 앨범들이다.
네가 잘 간직하렴.

상아 언니.
이렇듯 해맑게 웃고 있는데….
이날이 엊그제 같기만 한데….
으응?
이건….
일기장

그래.
언니는 섬세해서
하루도 빠짐없이
일기를 썼었지.

훗—. 언니 좀 봐!
내가 쫄면 먹고 배탈났던 것까지
다 기록해놓았네.

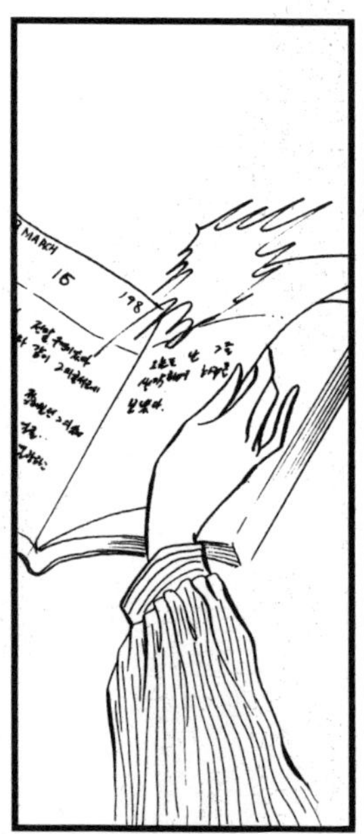

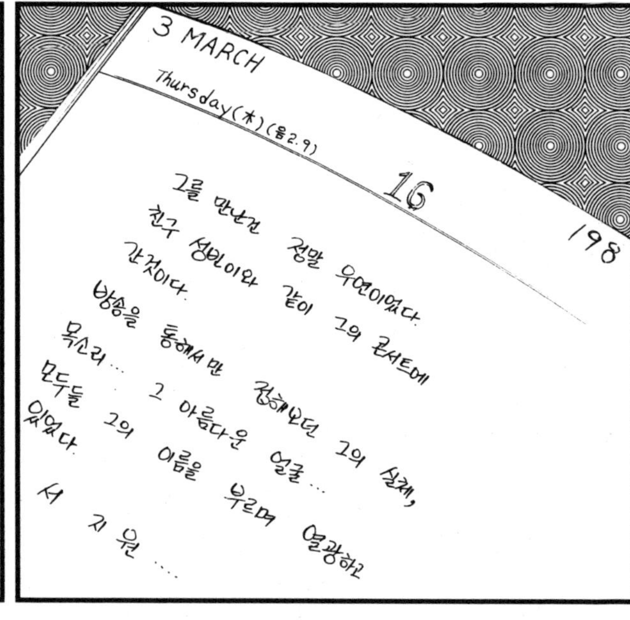
3 MARCH
Thursday(木)(음2.9)
16
198
그를 만난건 정말 우연이었다.
친구 성빈이와 같이 그의 콘서트에
간것이다.
방송을 통해서만 접해오던 그의 실체,
목소리... 그 아름다운 얼굴...
모두들 그의 이름을 부르며 열광하고
있었다.
서 지 윤 ...

서지원—?
4월 17일
오늘 그대에게 꽃다발을 전해주려고 결심하고 콘서트에 갔다.
마지막 노래를 부른 뒤였다.
성빈이가 격려해주었다.
부끄럼을 무릅쓰고 무대로 올라갔다.
그런데 누가 발을 걸어서 넘어지는 실수를 했다.
나도 모르게 눈물이 났다.
그런데 놀랍게도….
꽃다발 고마워요,
귀여운 아가씨!
환상적인 그 미소—.
아아~, 꿈이 아닌지 모르겠다.
가만,
4월 17일…
이라면….

장미…,
장미야.
왜 그래? 오늘 무슨 좋은 일 있어?
그래, 오늘 그에게 꽃다발을 전해주었어.
근데 말야. 내 이마에 키스를 하곤 '고마워요, 귀여운 아가씨!' 하지 않겠니?
아아…, 너무 멋있어. 사랑에 빠질 것만 같아. …아냐, 벌써 사랑하게 된 건지도 몰라.

바라만 봐도
녹아버릴 것 같은 사람이야.
어떤 여자라도
그의 미소만 보면
사랑을 느낄 거야.

9월

그에게 매일 팬레터를 보낸다.
예쁘게 포장한 선물도.
나는 언제까지 얼굴 없는 팬으로 머물게 되는 것일까?
그와 얘기를 하고 싶다.
그가 무엇을 생각하고 있는지… 무엇을 좋아하는지…
하지만 그는 너무 멀리 있는 사람—.

9월

여름방학이 끝났다.
그의 제 1집 독집앨범이 나왔다고 한다.

9월

내일 성빈이와 그의 신곡앨범을 사러 가기로 했다.
『하코네에서 온 편지』에서의 일본인 청년처럼
답장 없는 편지를 매일 보내고 있다.

안녕.
또 만나게
됐군요.
……?
나를 못
알아보시겠습니까?
아…, 댁은
전날 백화점에….
맞죠?
쓰윽
이거―.
어멋, 그건!

서….
안녕?
그래,
언니의 외출이 유난히 잦던 그 가을.
언닌 언제나 상기된 얼굴이었어.

장미야.
그는 외로운 사람이야.
화려한 영광 속에서도 고독을 느끼는 사람.
…언제나 곁에 있어주고 싶어.
장미야.
그 사람은 마치 개구쟁이 소년 같아.
장미야.
그 사람은 날 친구 이상 생각지 않지만, 그래도 좋아.
왜냐하면 난… 그를 바라보는 것만으로도 행복한걸.
그래, 언니는 그를 그다지도 절실히 사랑했었다.

서지원에게 접근하지 마! 서지원은 우리 모두의 것이야!
내가 지원과 데이트할 때면
그녀는 언제나 무서운 눈으로
노려보고 있었다.
아아, 그 무서운 눈.
오늘도 면도날로 날 위협했다.
장미가 뺨에 상처를 발견하고 물었으나
난 대수롭지 않게 얼버무렸다.
어떡하면 좋을까?
그를 포기해야 하다니…
죽기보다 싫다

탁, 탁 탁...!
헉
헉
헉

부릉부웅
끼익...

다…, 당신들은 누구예요?!
백상아. 분명 만나지 말라고 했지?
경고를 무시했어!

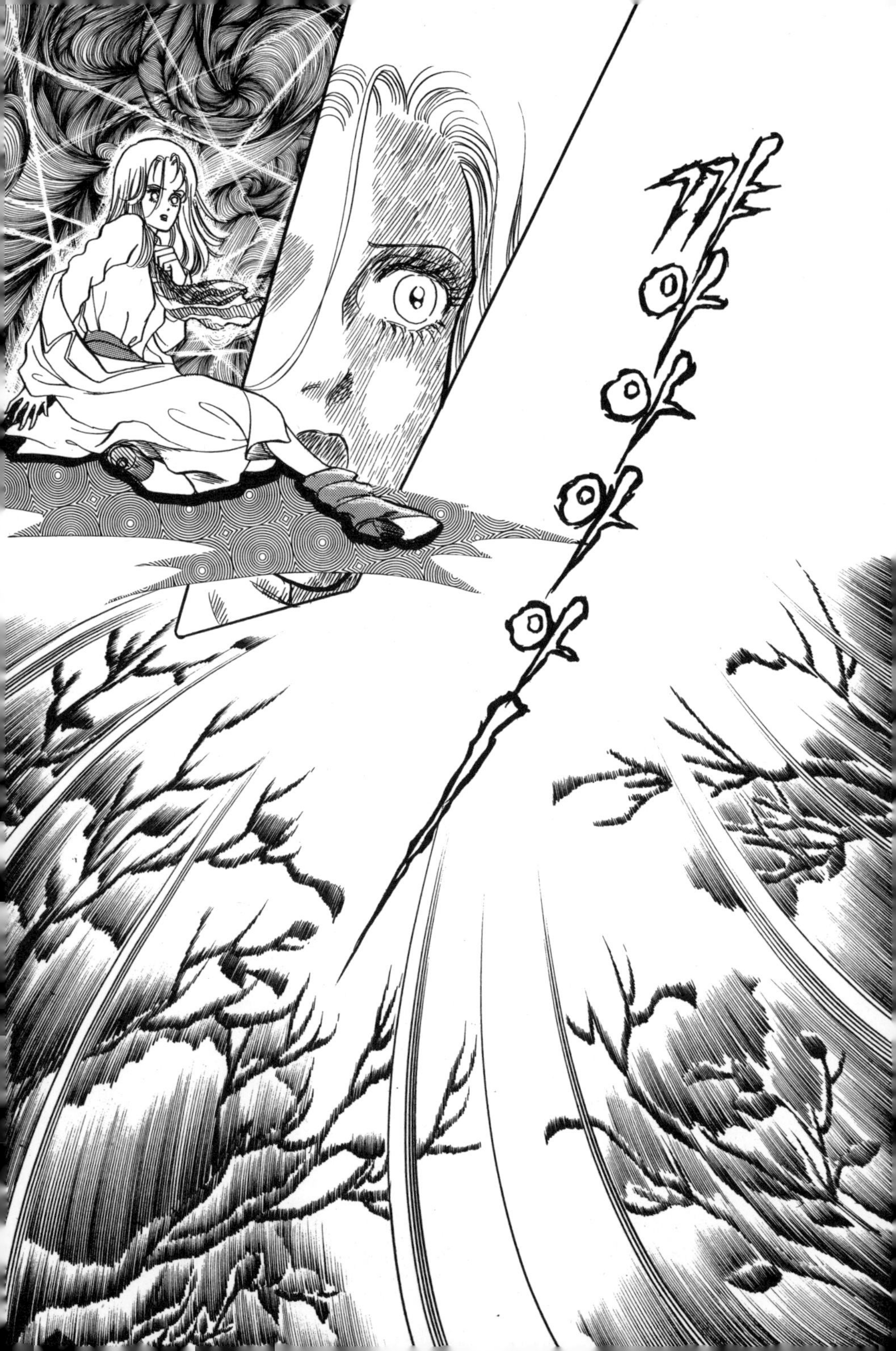

…아주 옛날 그 어린 시절,
무척도 많이 나비를 좇았지.

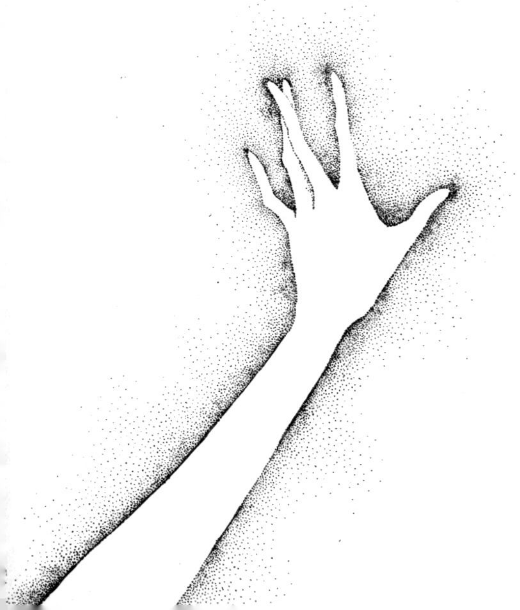

잡힐 듯 잡히지 않는 나비.
약이 올라 눈물마저 나오려 했던
어린 날의 예쁜 꿈.
그때는 몰랐다.
인생도… 사랑도…
모두 다 그러하다는 걸.

나비처럼 유혹해놓고
날아가버린다는 것을…
언니도
나와 있었네.
안 그래도
석양이 하도 예뻐서
언니더러 보라고
그럴 작정이었는데.

잘됐다. 언니,
괜찮으면 내일 조금이라도
올라가보자.
설악산에 와서 호텔 신세만
질 수야 없잖아.
요즘엔 철쭉이
불 붙은 것처럼 좋아.
응?
같이 가자.
응?
장미는 예뻐.
정말이야, 예뻐.
아주아주 예뻐.
후우
맑고…
더없이 깨끗한,
그래서 눈물이 날 만큼
예뻐…, 장미는.
언니야말로
그렇게 웃으니
정말 예쁘다.
역시 언니는
웃을 때가 제일….

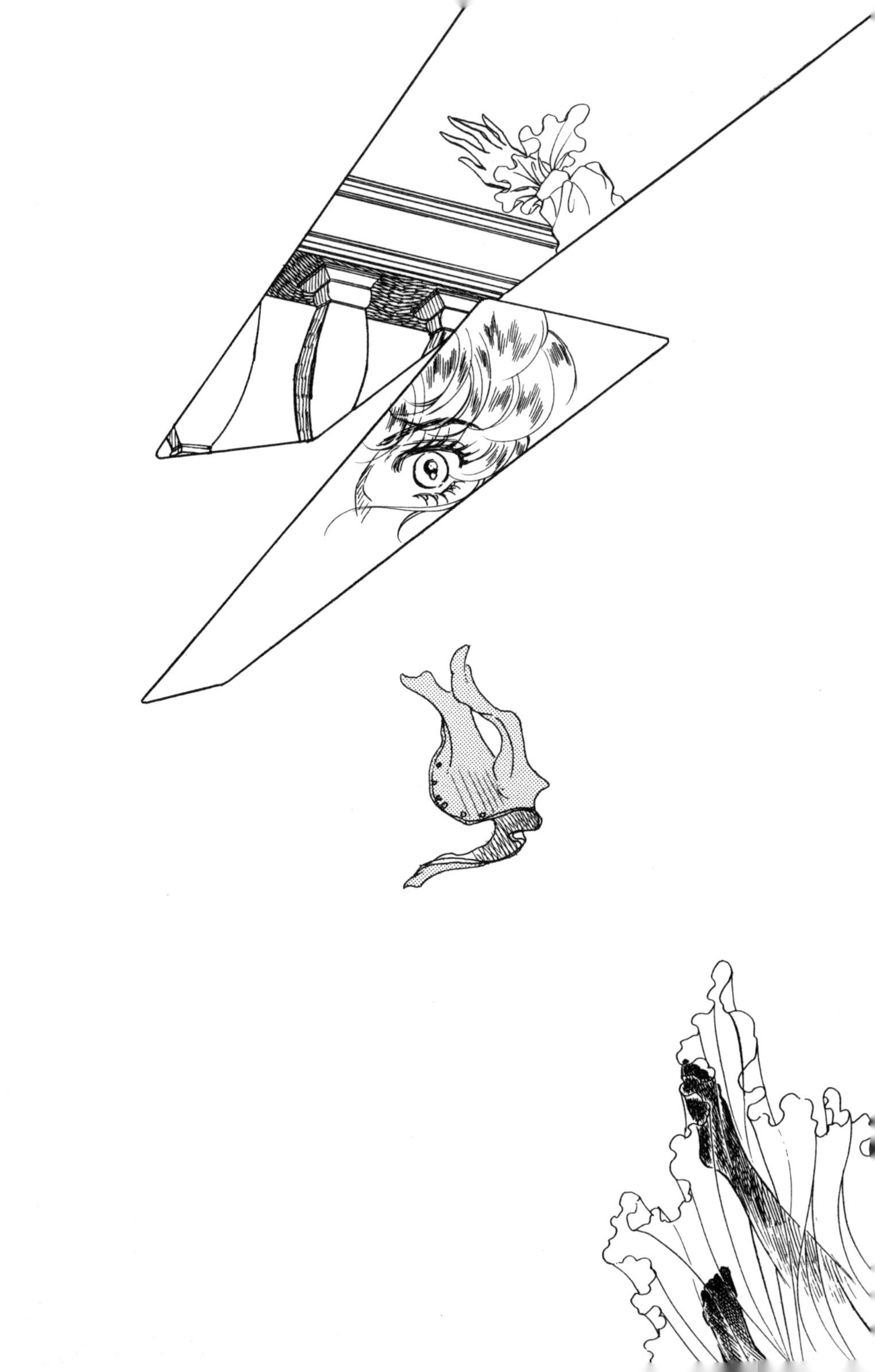

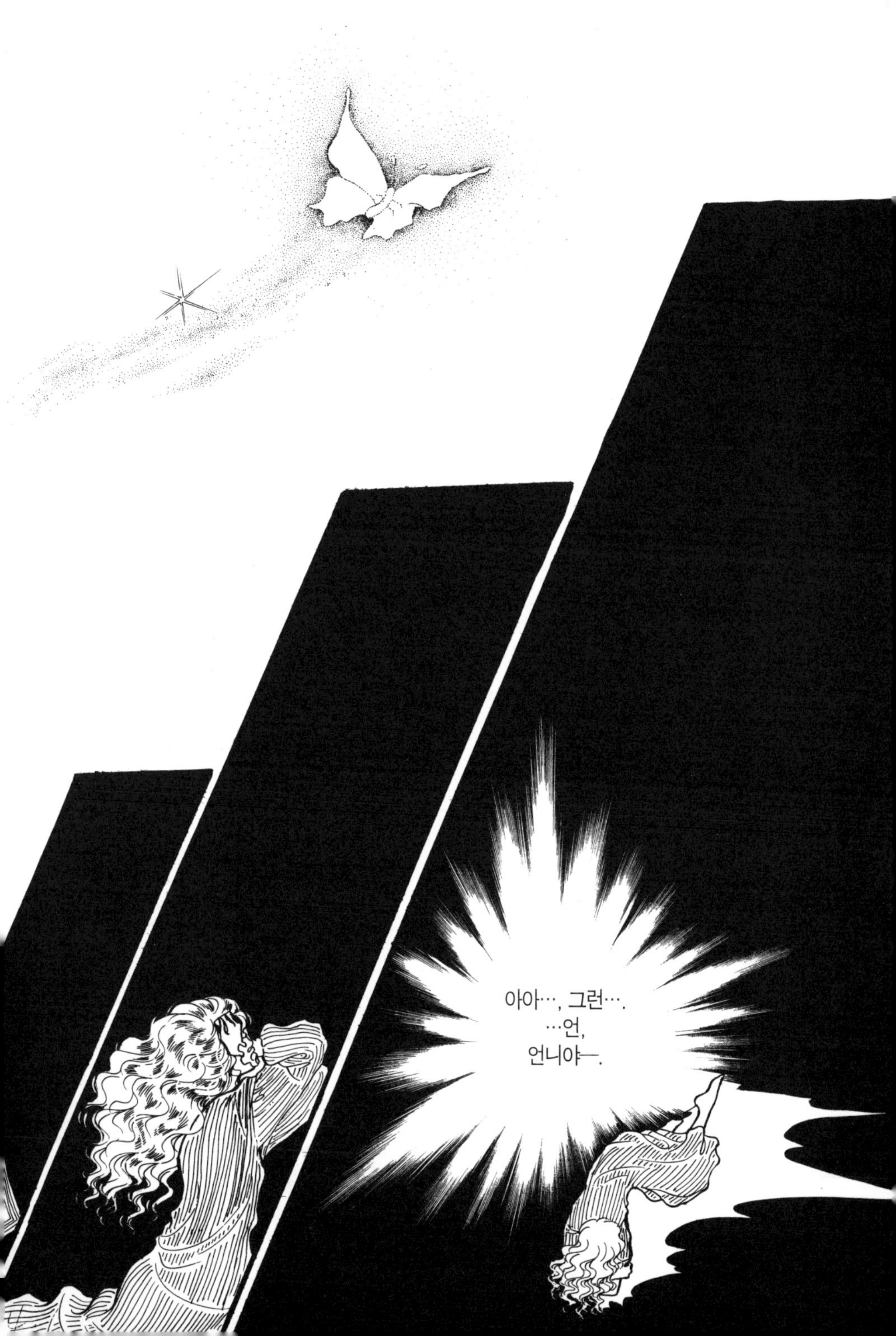
아아…, 그런….
…언,
언니야—.

하하하
장미야.
오늘 데이트 있어.
오는 길에 맛있는 것
사다줄게.

그래!
처음부터 너희들이
싫었어.
…용서 못해.

절대로
용서… 못해!

멎 시…?
으아악—!
8시다!
엄마—!
빨리 도시락
주세요,
빨리—!

도시락 빨리요—.
스… 슬비,
오늘
일요일이잖아.
너희 누나니?
응.
너…
넌 누구니?!
내 친구야.
어제 같이 우리 집에서
밤샘했어.
먹고놀자
밤샘
그래….
하품
어쨌든
다행이다.
비틀
비틀
콰당탕

너희 누나, 매일 저렇게 소란스럽니?
오늘은 상당히 조용한 편인데, 뭘.
어서오세요. 뭘 드릴까요?

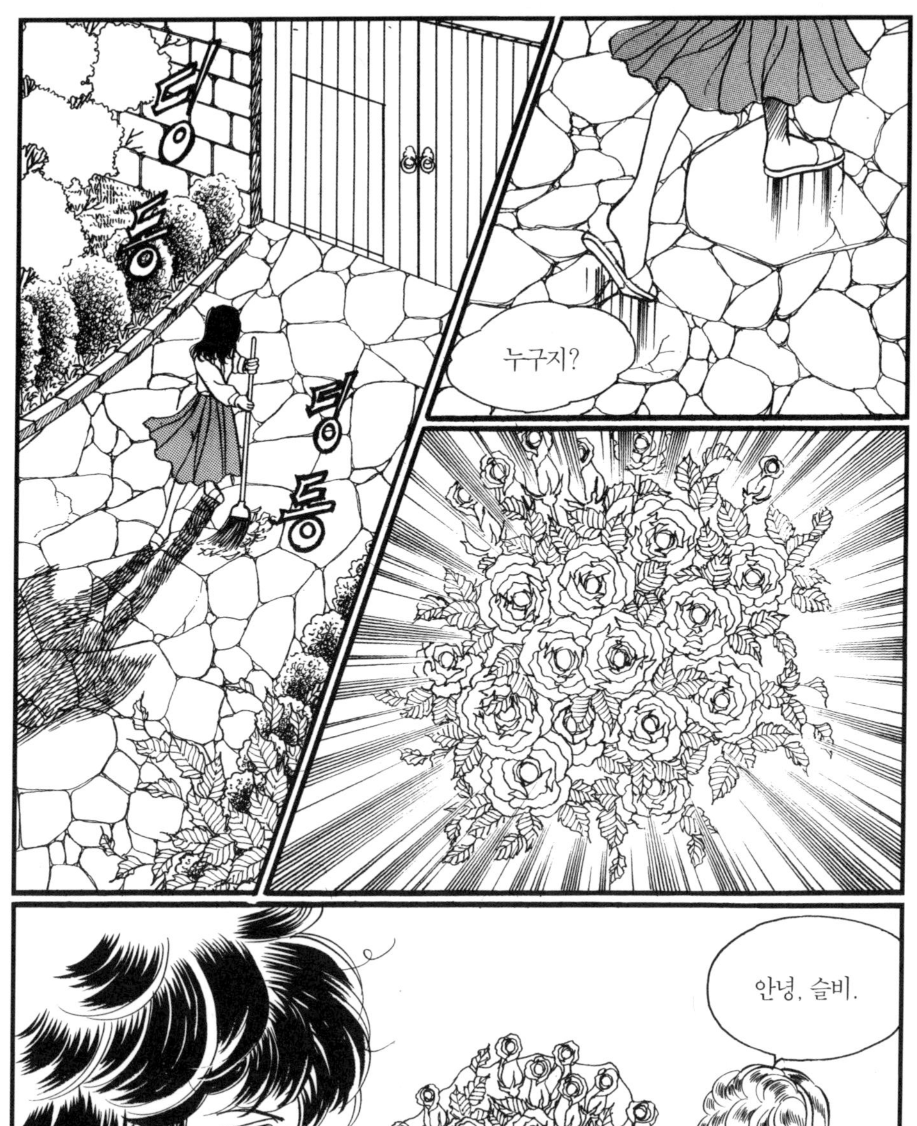
덩
둥
누구지?
덩
둥

안녕, 슬비.

왜 왔니?
자, 선물이야.
받아.
음….
예쁜 장미꽃이군.
집이 무척
예쁘게 꾸며져 있구나.
…들어가도 되겠니?
으, 으응.
들어와.

안녕하세요, 어머니.
그, 그래.
잉, 백장미 아냐?

엄마, 제 방에 가서 놀게요. 장미야, 따라와.
그래….
슬비 친구라고? 대단한 미인인데.
가까이서 보니 정말 예쁘다. 너희 누나랑 너무 대조된다. 그치, 푸르매?
시끄러워! 여자란 마음이야.
백장미…. 아마존의 여왕.
슬비와 친분이 있는 줄은 몰랐는데….
놀라울 정도의 친한 사이라면…
슬비도 아마존과 관계있는 건가?
슬비 네 방이니? 생각보다 예쁘고 귀엽게 꾸며놨구나.
그래? 고마워.

내가 뜬 거야. 이번 여름방학 때.
와아~. 정말 예쁜 레이스다. 누구 솜씨니?

뭐? 네가? 뜨개질도 할 줄 아니, 슬비?
난 못하는데…

그럼. 뜨개질은 내 취미이자 특기인걸?
뜨개질은 뭐든 자신 있어. 대바늘, 코바늘, 아프칸 뜨기 등등…. 조끼나 스웨터도 뜰 수 있어.

와아~, 굉장하구나. 상당히 고상한 취미야.
아, 그래. 인형도 있어. 인형 옷은 거의 다 내가 만들어 입혀.
다음에 네 거도 하나 만들어줄게.
칭찬에 약하다.

겨울에 입으려고
조끼 뜨고 있었어.
뜨개질 하는 것
볼래?
꽈악

푸르매,
이거 슬비 방에
갖다주렴.
너희 엄마,
남녀 차별이
심하시구나.
1년에
한 번씩만 와봐,
인마!
날이면 날마다 오는
널 이렇게 대접하다간
우리 집 기둥뿌리
뽑혀 나갈 거야.

똑 똑
안녕하세요.
아마존의 백장미 양이죠?
저는 전혁진이고 얘는 슬비 양의 동생 이푸르매입니다. 우리 둘 다 2학년 1반 이지요.
그럼, 난 이만.
푸르매, 더 놀다 가.
2학년이라니, 그럼 슬비 너랑은 쌍둥이니?
응, 아무리 이란성이라지만 좀 심했지?
모두 다 깜짝 놀라더라.
아하
푸르매 슬비 전혀 안 닮았다

그런데 이 녀석,
건방지게 누나라고
안 부르고 꼭
이름을불러.
딱
아야!
왜 때려!
…….
엄마,
내 친구 바래다주고
올게요—.

우리부부
에구 에구
TO.뚜
쌍계
슬비, 아마존을 정말 나갈 거니?
……….
강요하지는 않아. 가입 탈퇴를 결정하는 것은 당사자이니까.
하지만, 한 가지만은 알아주기 바라.
아마존은 정의를 위한 서클이라는 걸!

참, 15일,
모터 사이클 경기
예선전에 참가할 예정인데
응원 와주겠니?
모터 사이클?
응.
참가 제한이
없더라고.
시간 있으면
꼭 나와줘.
기다릴게.

안녕.
장미…,
정말 미워할 수 없는
친구야.

모터 사이클 대회 예선전.
빠다당
앙
와아
모터 사이클 대회가 벌어질 이곳 한강 스타디움에는 입추의 여지도 없이 관객이 가득 들어찼습니다.
올해로써 제 7회를 맞이하는 본 대회의 특징이라면 참가 자격의 무제한이라는 데 있겠지요.
선수들이 지금 애마(모터 사이클) 정비를 마치고 스타트 라인으로 향하고 있습니다.
빠다당
빠다당
그럼, 참가 선수들의 명단을 불러드리겠습니다.
아마존클럽 애들 모두 응원 나왔구나.
아, 저기 장미가 보여.
어디?
네, 백장미 언니가 출전하니까요.

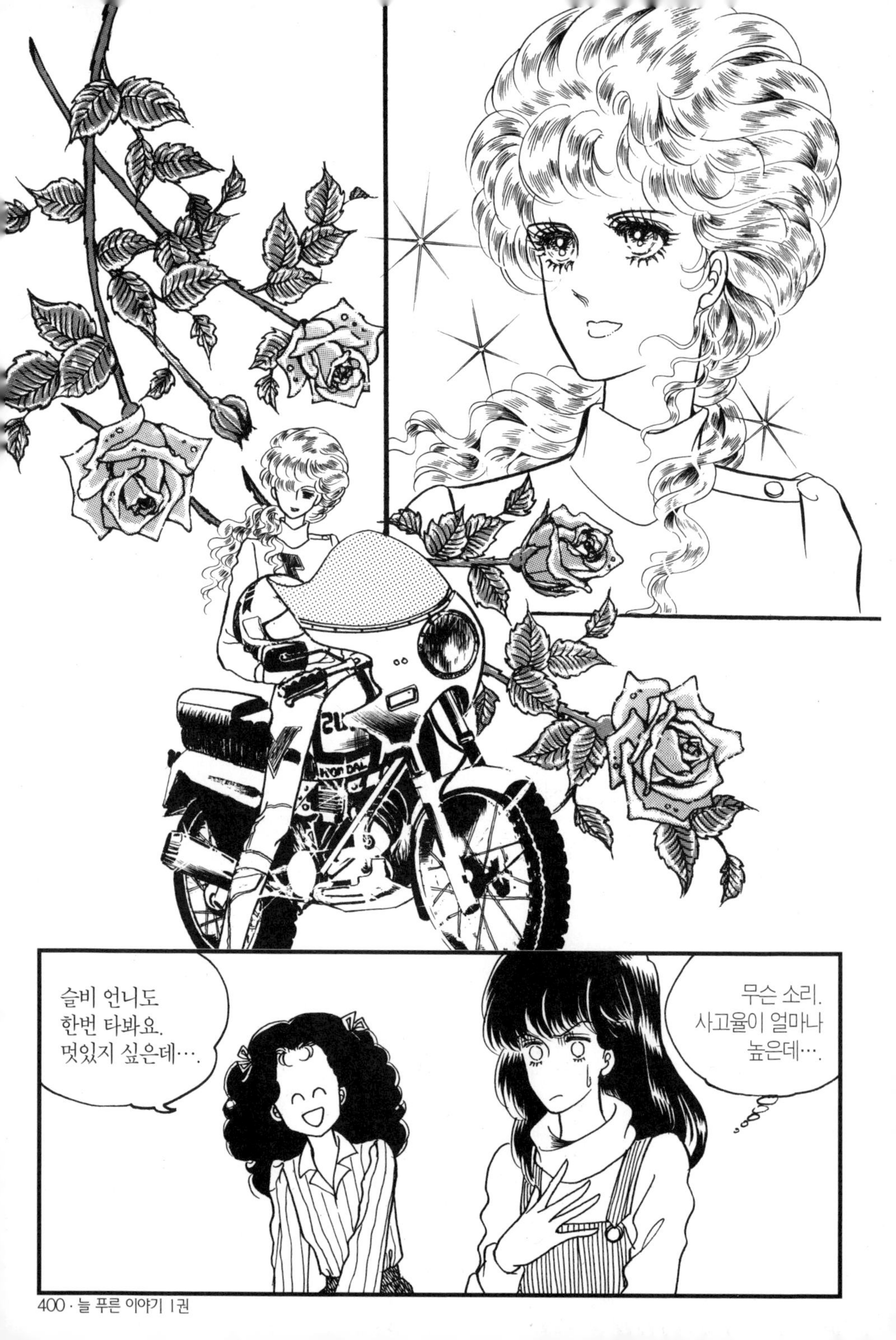
슬비 언니도
한번 타봐요.
멋있지 싶은데….
무슨 소리.
사고율이 얼마나
높은데….

응?
저 사람은…?
그래, 저 헬멧 무늬는
언젠가 내가 울고 있을 때
집까지 데려다준 사람.
그때는 몰랐는데
멋있구나….

지금 이곳은
모터 사이클 레이스가
벌어지고 있는
한강 스타디움.
와아!
와아
선착순 10위까지
결승전에
진출할 수 있습니다.
말씀드리는 순간,
빠다다당
선두가
들어오고 있습니다.
4번 선수 백장미.
오! 이건 놀랍게도
여성이군요.

와
와아
장미,
파이팅─!
괴…
굉장하구나.

골인―!
4번 백장미 양,
좋은 성적으로
골인 지점을 통과하고
있습니다.
바 아 앙
와 아 와―
만세―!
장미가
1등이다아―!
1등에 이어 7, 8, 9번,
조금 떨어져서
2번 선수가 들어오고
있습니다.
왜아앙
오늘의 경기는
상당히 예측불허의
결과를….
부아

알았어.
곧 갈게.
장미, 빨리 와.

언니의 일기장엔
바이크를 탄
3명의
남자들이라고
적혀 있었다.
와
와
그 삼인조
녀석들도
여기에
참가했을까?

꼭 찾아내고야
말 테다.
하하하하
하하하

후훗~.
건방지게
여자가 어딜
출전해.
일찌감치
기권하는 게
신상에 좋을걸.
결승전은
거칠다는 걸
알아둬.

아쭈―!
노려보니
예쁜데 그래.
뭐!
노려보면
어쩔 건데?
휙

장미, 여기야.
모두 기다리고 있어.

반짝 주유소
그럼,
잘 부탁합니다.

2

툭
잉? 슬비의
조미료병 아냐?
그럼
이 근처에….
역시….

자, 양푼면
다 익었겠다.
먹자.
맛있겠다.
회식은 역시
즐거워.
즉석 라면은
뭐니 뭐니 해도
양푼면이 최고야.
그치?
양 푼

앗!
고춧가루를
잃어버렸다!
뒤적
뒤적

어떡하지?
난 고춧가루가
없으면 못 먹어.
점심 시간에도 그래서
늘 고춧가루를 갖고
다니는데—.
쪼르르르
어떡하지?
이런 휴게실에는
고춧가루가
없을 텐데….

슬비,
너무 걱정 마.
우리가 다
먹어줄 테니.
그래
그래
다이어트 겸
잘됐지 뭐니?
양 푼 면
앙
다들 너무해…

탁
읍

응?

고…
고춧가루다아—!
양푸면

아…,
누가 이렇게
고마운….

맛있게 드십시오.
그럼….

예선전에 '흑나비'라는 이상한 이름으로 참가한 사람 아냐?
맞아, 5등으로 예선 통과한 사람.
양풍면
양풍면
양풍
슬비 언니, 아는 사람 이에요?
으응, 전에 한 번….
이상하다? 어떻게 내 거라는 걸 알았을까?
아무튼 다행이야.
정말 고마운 사람이다.
감격

슬비 언니,
우리 집에
놀러가요. 예?
그래,
내일 보자.
그럼 잘 가,
장미야.
아이스크림.
꿀꺽
휴게실
안 돼.
나 바쁜
사람이야.
아이스크림
사드릴게요, 네?
난 먹는 것엔
너무 약하다니까.
지구콘 2개
주세요!

맛있다.
아껴가면서
먹어야지.
응?
슬비네.
아직까지
집에 안 갔나?
탁
꺄 아~
아-!
내 아이스크림!
『늘 푸른 이야기 1권』 끝

늘
푸른
이야기

LEE MI RA SPECIAL EDITION

늘 푸른 이야기 1

2023년 4월 25일 초판 1쇄 발행

저자 이미라

발행인 정동훈
편집인 여영아
편집책임 최유성
편집 양정희 김지용 김혜정
디자인 형태와내용사이

발행처 (주)학산문화사
등록 1995년 7월 1일
등록번호 제3-632호
주소 서울특별시 동작구 상도로 282 학산빌딩
편집부 02-828-8988, 8836
마케팅 02-828-8986

ISBN 979-11-411-0334-7 (07650)
ISBN 979-11-411-0333-0 (세트)

값 16,500원